TUDO O QUE EU SEMPRE QUIS DIZER,
MAS SÓ CONSEGUI ESCREVENDO

MARIA RIBEIRO
TUDO O QUE EU SEMPRE QUIS DIZER, MAS SÓ CONSEGUI ESCREVENDO

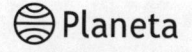

Planeta

Copyright © Maria Ribeiro, 2018
Copyright © Editora Planeta do Brasil, 2018
Todos os direitos reservados.

Preparação: Thalita Ramalho
Revisão: Renata Lopes Del Nero e Laura Vecchioli
Diagramação: Abreu's System
Capa: Mallu Magalhães

Dados Internacionais de Catalogação na Publicação (CIP)
Angélica Ilacqua CRB-8/7057

Ribeiro, Maria

Tudo o que eu sempre quis dizer, mas só consegui escrevendo / Maria Ribeiro. – São Paulo: Planeta do Brasil, 2018.

ISBN: 978-85-422-1274-7

1. Crônicas brasileiras I. Título

18-0094   CDD 869.8

Índice para catálogo sistemático:
1. Crônicas brasileiras

Ao escolher este livro, você está apoiando o manejo responsável das florestas do mundo

2022
Todos os direitos desta edição reservados à
Editora Planeta do Brasil Ltda.
Rua Bela Cintra 986, 4º andar – Consolação
São Paulo – SP – 01415-002
www.planetadelivros.com.br
atendimento@editoraplaneta.com.br

Para João e Bento, as palavras que eu mais gosto de escrever, e para minha mãe, que gostou de um poema que eu fiz quando tinha 8.

Sumário

Gregório Duvivier	11
Freud	15
Fernanda Lima	17
Paula Lavigne	19
João Salles	21
Andrew	23
Paulo	25
José Padilha	29
Fátima Bernardes	31
Xico Sá	33
Amora	37
Camila Pitanga	41
Fernanda Torres	45
Carmem Verônica e Renata Sorrah	47
Para mim mesma aos 18	51
Carta para X.	55
João, catorze	59
Fabio Assunção	63
Domingos Oliveira	67
Boneca Russa	71
Bento	75
Winona Ryder	79
Eu não quero parabéns	83
Caio	87
Ana, Instagram	91

Neymar e Bruna	93
Cineide	97
Macabéa, Darín, Magnani e Malu Mader	101
Mallu Magalhães	105
Para mim mesma aos 28	109
Miguel de Almeida	111
Bárbara Paz	115
Felipe Hirsch	119
Debora Bloch	123
Matheus, Sophie e Alice	127
Mãe	131
Tiago	135
Tony Ramos	137
Rafaela Silva	141
All Star azul	145
Maria Mariana	149
Superego	153
João Doria	157
Para Marilu	161
Rio Vermelho	165
Madonna	169
La la land	173
Eliane Giardini	177
Raquel do Waze	179
Para Edu	183
Carta ao editor	187
Laís Bodanzky	189
Joyce com y	191
Belchior	195
Flora e Gil	199
Para B.	203
Steve Jobs e Cleo Pires	207
Chico Buarque, sms	209

Barbara Gancia 215
Maria Flor 219
Tati Bernardi 221
Silvio Santos e Zé Celso 223
João 227
Osvaldo placa RFT6540 231
Jorge Bastos Moreno 235
Tom Jobim 237
Lula 241
Gonçalo M. Tavares 245
Monica Tenenbaum, SMS 247
Alexandre Nero, SMS 249
Caco Ciocler, SMS 251
Leonídio 253
Isabel Guéron 255
Fernanda Nobre 257
Martha Nowill, Instagram 259
Vanessa Cardoso, Instagram 261
Andréia Horta, Instagram 263
Leopoldo Pacheco, Instagram 265
Ricardo Pereira, Instagram 267
Paula Gicovate, Instagram 269
Selton Mello 271
Washington Olivetto e Nelson Rodrigues 275
Sérgio Vaz 279
Chapecoense 283
Monica Martelli, Instagram 287
De Paolla. Não, de você 289
Pedro Henrique 293

Lista de músicas 297
Agradecimentos 301

GREGÓRIO DUVIVIER FREUD FERNANDA LIMA PAULA LAVIGNE
JOÃO SALLES ANDREW PAULO JOSÉ PADILHA FÁTIMA BERNARDES
XICO SÁ AMORA CAMILA PITANGA FERNANDA TORRES CARMEM
VERÔNICA E RENATA SORRAH PRA MIM MESMA AOS 18 CARTA
PARA X. JOÃO, CATORZE FABIO ASSUNÇÃO DOMINGOS OLIVEIRA
BONECA RUSSA BENTO WINONA RYDER EU NÃO QUERO PARABÉNS CAIO
ANA NEYMAR E BRUNA CINFIDE MACABÉA, DARIN, MAGNANI
E MALU MADER MALLU MAGALHÃES PRA MIM MESMA AOS
28 MIGUEL DE ALMEIDA BÁRBARA PAZ FELIPE HIRSCH DÉBORA
BLOCH E MARIANA LIMA MATHEUS, SOPHIE E ALICE MÃE TIAGO
TONY RAMOS RAFAELA SILVA ALL STAR AZUL MARIA MARIANA
SUPEREGO JOÃO DORIA PARA MARILU RIO VERMELHO
MADONNA LA LA LAND ELIANE GIARDINI RAQUEL DO WAZE
PARA EDU CARTA AO EDITOR LAÍS BODANZKY JOYCE COM Y
BELCHIOR FLORA E GIL PARA B. STEVE JOBS E CLEO PIRES CHICO
BUARQUE BARBARA GANCIA MARIA FLOR TATI BERNARDI
SILVIO SANTOS E ZÉ CELSO JOÃO OSVALDO PLACA RFT6540
JORGE BASTOS MORENO TOM JOBIM LULA GONÇALO M.
TAVARES MONICA TENENBAUM ALEXANDRE NERO CACO CIOCLER
LEONÍDIO ISABEL GUÉRON FERNANDA NOBRE MARTHA NOWILL
VANESSA CARDOSO ANDRÉIA HORTA LEOPOLDO PACHECO
RICARDO PEREIRA PAULA GICOVATE SELTON MELLO WASHINGTON
OLIVETTO E NELSON RODRIGUES SÉRGIO VAZ CHAPECOENSE
MONICA MARTELLI DE PAOLLA. NÃO, DE VOCÊ. PEDRO HENRIQUE

Gregório Duvivier

Filme: *A noite americana* (François Truffaut)
Música: "Vermelho" (Marcelo Camelo)

Gregório,
A gente nasceu na mesma maternidade, a São Vicente, um hospital no Rio que parece um Hotel Fazenda de Petrópolis, ou um cenário de filme espírita, dependendo do ponto de vista. De modo que, no mínimo, temos a mesma... (você vai ficar bravo, tá?) a mesma origem burguesa, digamos assim. Pronto. Eu te via direto no Shopping da Gávea e também no Braseiro, e sempre pensava em te falar: ei, eu também sou daqui, vamos ser um pouco "amigos de bairro"? Um pouco amigos, e não muito amigos, por dois motivos: primeiro porque você é dez anos mais novo que eu; segundo porque eu também não tinha certeza se iria querer te paquerar um dia.
Aí depois você fez aquele filme gênio do Matheus Souza e eu te achei bem bonitinho e desisti completamente da amizade. Acontece que, logo em seguida, você começou a namorar a Clarice Falcão e eu dei pra achar vocês dois uma graça, e passei a assistir a uma série no Multishow na qual vocês interpretavam vocês mesmos, e chorei com o poema que você fez pra ela no *Ligue os pontos*. Pronto, adeus paquera. Tudo bem que teve uma vez que a gente se esbarrou no Jobi e eu

meio que dei uma ajeitada no cabelo, mas até aí também, né, é a vida. Pra mim, a relação no Facebook já estava supercerta e ajustada como amizade verdadeira, mesmo você não participando de nada disso e talvez nem sabendo o meu nome. Nosso romance estava acabado antes mesmo de começar, e como é bom ter umas coisas na vida que a gente resolve sem nem tentar, não é mesmo? Tipo muay thai.

Tava tudo pronto pra foto e registrado em cartório até que, de repente, você fez aquele vídeo da Chuteira Laranja. E eu me apaixonei de novo. Seriamente. Irremediavelmente. Gravemente. Porque, além de tudo – e por anos eu evitei contar esse detalhe pra mim mesma –, você é fluminense, Gregório, e ser fluminense... ah, ser fluminense é uma coisa que me deixa muito comovida... Aquela gente das Laranjeiras, a decadência, os móveis de família... uma graça. Mas então, do nada, o Porta dos Fundos virou uma coisa enorme, praticamente uma unanimidade nacional. Eu sou uma pessoa infantil, Gregório, de modo que não posso gostar das mesmas pessoas que todo mundo gosta. E, quando eu me dei conta, você tinha virado colunista da *Folha*, tava na capa da *Serafina*, era funcionário do mês do McDonald's, tava cabeludo e tinha crescido uns trinta centímetros...

Já estava tudo combinado de novo entre mim e meu superego de que não seríamos felizes para sempre – e nem por três meses e nem por duas horas – quando fomos trabalhar juntos numa turnê de um projeto literário, e, certo dia, desavisadamente e como quem não quer nada, você simplesmente desceu do seu quarto do hotel onde estávamos pra tomar café da manhã e quando eu olhei você tava descalço... Você quer me enlouquecer, Gregório? É esse o seu objetivo? Só o *Homo sapiens* mais incrível do universo se apresentaria num *lobby* de hotel em Aracajú de jeans, camiseta e pés descalços... Eu já tava me preparando pra te chamar pra um fim de semana sem wi-fi em São Francisco Xavier quando você me disse que estava namorando e que estava grávido e apaixonado... e depois disso eu conheci a Giovanna e achei ela o máximo e acabei ficando sua amiga definitivamente, o que eu considero uma coisa deprimente.

    E assim, já um tanto conformada, chego à conclusão de que a nossa última chance pode ser a Casa de Saúde São Vicente... Já pensou? Você com 70 anos, eu com 80 (mas ainda correndo na praia, como faço todos os dias desde os 17) num encontro por acaso na emergência do hospital em que nascemos... O que te parece? Você com artrite, eu com câncer em estágio inicial na tiroide, uma sopinha de couve-flor, caminhadas até o estacionamento... nada mais romântico... O que te parece?

    Beijos gaveanos,
    M
2018

Freud

Filme: *Lua de fel* (Roman Polanski)
Música: "Sina" (Djavan)

Caro Freud,
Pelo que eu entendi até aqui, tudo bem eu ter sido apaixonada pelo meu pai na infância. Né, não? Que isso é o padrão. Que isso é o normal. Que isso é o correto. Tipo, na verdade, é quase errado se a pessoa não quiser ser namorada do pai até uns 6 anos de idade. E, tudo bem também, eu, em seguida, ter sido um pouco a fim do meu irmão mais velho. Certo? Até porque, e essa parte eu não sei se tá no manual, meu irmão veio a ser meio meu pai – meio, mais pra inteiro – depois que este último casou de novo, e depois de novo, e resolveu ter filho de novo parte 1 e depois filho de novo parte 2, e resolveu ser jovem pra sempre número infinito. Isso também deve fazer parte de toda uma literatura, mas esse Édipo Antígona, ou sei lá qual é a referência grega correspondente a um pai que não amadurece nunca, a gente não trabalhou na Mônica nem nas aulas de filosofia da PUC. A Mônica, não sei se você sabe, é uma versão sua que me reapresentou pra mim. E que fica no Leblon. Enfim. Sua franquia é grande, não sei se você manja certinho quem é quem. Mas olha, a Mônica é Jesus. Não no sentido religioso mas de gênia. Você entendeu. Que tua língua é cheia de sutilezas. Tenho a sensação de que meus pais entraram com óvulo e espermatozoide, mas

quem deu o acabamento foi ela, sabe? Voltando. Irmão. Então não tem problema, confere? Deu seu *like* aqui? Ok. Em frente. Vamos lá. Tudo bem também, eu, entre os 20 e os 30 anos, ter tido raiva da minha mãe por qualquer coisa que ela tivesse feito ou deixado de fazer. Não importa se é a ausência de limite na adolescência ou a repressão com unhas vermelhas, saias curtas e saltos altos. E depois dos 30 não é mais tudo bem, porque eu tenho que assumir a responsabilidade de quem eu sou e isso só é possível graças a você. Ou ao Sartre. Agora fiquei na dúvida... Enfim, não importa. O que importa é que chegamos ao X da questão. Ser quem se é. Essa coisa dificílima... A gente começa sendo o pai e a mãe, depois a gente vira as amigas e num terceiro momento vira os namorados. Confere? Então. Eu namorei o Rafael e fiquei um pouco Che Guevara, depois fui morar com o Paulo e virei totalmente MR8 com uma conexão em Sorocaba, e em seguida casei com o Caio e descobri a maconha e o Tábua de Esmeralda do Jorge Ben Jor, mas mesmo aos 41 e depois de vinte anos de análise eu ainda não sei se sou uma pessoa que se conhece e que tem uma inteireza assim de gente grande. De qualquer maneira, hoje tem um monte de coisa que dói menos e acho que é por sua causa, então eu queria agradecer e dizer que minha devoção é tanta que cheguei inclusive a conhecer seu consultório em Viena, batizei meu primeiro e inesquecível labrador de Freud e tô quase tatuando teu primeiro nome na minha virilha. Obrigada mesmo, viu? A você e a Mônica. E ao cara que inventou o Frontal. Essa é uma outra carta, mas eu queria deixar claro que sou fã dessa trinca. Vocês são meus reis magos, meu trio elétrico, minhas vigas mestras, minha chance de estar aqui, meus maiores amigos. Obrigada. Pra sempre.
      Maria
      2017

Fernanda Lima

Filme: *Houve uma vez dois verões* (Jorge Furtado)
Música: "Meu esquema" (Mundo Livre S/A)

Fernanda,
Foi na casa do Babenco. Numa festinha da Bárbara. Você tava com uma roupa branca. Você veio conversar comigo. Fica comigo? Você falou uma vez. Uma não. Várias vezes. Tudo bem, foi na televisão. Tudo bem, talvez não tenha sido pra mim. Talvez, não. Com certeza não foi. Pra mim. Mas aí não é um problema meu. Um problema só meu, eu quero dizer. Você não ter falado pra mim. E eu ter a sensação de que você falou. Pra mim. Mas isso foi antes. Embora fosse um antes presente naquele agora. E nesse agora também, eu acho. Mas a festinha. A gente tava no sofá. De frente pra piscina do Isay. Quer dizer, do Babenco. Da Bárbara. A gente tava no sofá. E a gente tava indo bem. Era uma festinha pra um elenco de novela. Era em São Paulo. Era uma chance. Eu tava de preto. Eu tava com um cabelo incrível. Eu tava inteligentinha esforçada fingindo que era inteligentinha natural. Você me falou alguma coisa de mim. Tipo bem. De mim. E eu fiquei gostando. De mim. O que é mais difícil. Que de você eu já gostava, desde o Mochilão. Eu te achei inteligente e linda e às vezes não prestava atenção no que você falava porque ficava ouvindo o teu sotaque e sendo transportada pra outro agora. Fica comigo? Você falava

na Emetevê (amava esse jeito abrasileirado do Caetano falar MTV). Enfim. Depois a gente foi fazer ioga juntas. Eu e você. Sim, eu e você. Você não sabia? Sim, na minha casa. É que eu comprei um DVD – ai que fofo falar DVD – que era uma aula de ioga com você e o Cristóvão, aquele professor fodão lá da Serra da Cantareira. Você com uma barriga gênia e um cabelo pra trás todo *clean*, e fazendo umas posições dificílimas que eu tentava imitar, mas só conseguia nos 10 primeiros minutos, e acho que era a série básica da básica. Mas treinando bastante eu consigo chegar aos 20, pensei. Minutos. Talvez 15 seja um número mais honesto. E aí, com certeza, vamos ganhar mais afinidade. Tudo indo muito bem até que você disse assim: o que você acha de um dia ir jogar frescobol lá em casa com o seu marido? Pausa. Mais pausa. Ah, Fernanda, se eu pudesse eu ia. Eu juro que eu ia. Acontece que eu nunca joguei nem frescobol, nem vôlei, nem queimada. Eu vou jogar mal, meu corpo vai ser pior, minha autoestima não vai segurar. Eu vou errar os saques, eu não vou ser alta o suficiente para os bloqueios, eu vou ficar admirando a tua magreza em vez de olhar pra bola... Não vai dar certo. Mas é claro que não foi isso o que eu disse. Eu disse: vamos, sim. Vamos, sim.

Isso foi há uns cinco anos, talvez mais. Hoje a gente faz parte do mesmo grupo feminista no WhatsApp e de vez em quando troca uma ou outra mensagem no Instagram. E, não sei por quê, semana passada, revendo *The Royal Tenenbaums* pela décima vez, eu meio que tive uma última esperança... Não que eu seja uma Serena Williams, mas pelo menos sustento o figurino...

Você por acaso joga tênis? Joga? Topa? Fica comigo?
Beijo,
Maria
2017

Paula Lavigne

Filme: *O poderoso chefão* (Francis Ford Coppola)
Música: "Não me arrependo" (Caetano Veloso)

Paula,
Quando você me chamou de fofa eu percebi, mas já não dava mais tempo. Eu estava na sua sala. A sua sala, Paula. Na sua sala, Paula, eu vi Caetano, Jorge Ben Jor e Marisa Monte cantando Cartola. Na sua sala, eu vi a Baby evocando Jesus Cristo com "Menino do Rio" – o que aliás, achei que tinha tudo a ver, não sei por que a galera reclamou... Na sua sala eu vi a Fernanda Torres cantando aquela música mara do Pepeu Gomes, "Eu também quero beijar". Eu também, Pepeu, quero, acima de todas as outras coisas, beijar. Mas a fofura. Quando você falou: fofa, vem aqui em casa hoje pra gente falar de biografia?, eu percebi que não ia dar certo. Porque eu gostava de você, a gente almoçava juntas no Moreno, eu tava até vendo a reprise de *Anos dourados*, mas eu sou documentarista, jornalista, não podia ser contra biografia, isso era censura braba, não tinha como dar certo. Ao mesmo tempo, eu tinha um misto de medo e admiração pela sua pessoa física e jurídica, então eu fui mesmo assim. Na sua sala. Na sua casa. No seu sofá. E eu não sou fofa. Quer dizer, eu sou fofa, e muito, mas só depois da fase 5. E a gente tava na 1. Convivendo como grupo.

E se você, na fase 1, em que eu sou zero fofa, tava achando isso, era porque você não tava me vendo. E por não me ver e não se importar comigo, você foi no programa do qual eu fazia parte e brigou com minha parceira de sofá. Tudo bem que o nosso sofá não era o seu sofá, mas a gente também tinha o nosso futebol, e até o Drauzio já tinha jogado com a gente no ataque. Tudo isso foi há um século e a gente já fez as pazes e você tem razão quando me acusa de ter falado mal do Djavan (desculpa, Djavan, eu te amo!) e a real é que eu nem sei por que eu resolvi escrever tudo isso agora. Ah, já sei! Porque você me bloqueou no Instagram desde então, isso foi em 2013, e, de lá pra cá, além de já termos nos acertado, temos em comum 5 grupos de WhatsApp, mas mesmo assim eu sigo perdendo as fotos dos saraus, que é a melhor parte de toda a história... Então tudo isso é pra dizer: dá pra me desbloquear, caramba? Rsss... Acho que agora que a gente se conhece pode ficar tudo bem mais honesto e divertido... Topa ir pra fase 2?

Beijos,
Maria
2016

João Salles

Filme: *Anna dos 6 aos 18* (Nikita Mikhalkov)
Música: "Ronda" (Paulo Vanzolini)

Hoje é quarta-feira e os seus óculos
Hoje, quarta, a sua camisa social
O repartido do seu cabelo e os seus óculos
A sua camisa social e a calça jeans
(Levi's)
Hoje é quarta-feira e o Dziga Vertov
Hoje, quarta, os irmãos Maysles
As suas bolsas organizadas e o Kennedy
Os seus óculos e o Pennebaker
(do Dylan)
Hoje é quarta-feira e o T. S. Elliot
Hoje, quarta, a sua camiseta
O repartido do seu cabelo e os seus braços
A sua camiseta e a franja que você levanta
(em vão)
Hoje é quarta-feira e o E. E. Cummings
Hoje, quarta, o Coutinho
A Elisabeth no sertão e a sua letra de giz
A calça jeans e a Anna dos 6 aos 18
Hoje é quarta-feira

e ontem foi terça
e amanhã é quinta
Hoje é quarta-feira
de cinzas e gizes de você
2001

Andrew

Filme: *Brincando nos campos do Senhor* (Héctor Babenco)
Música: "Beija-flor" (Timbalada)

Foi num clipe da Marina. Eu tinha 19 anos, e você, 25. E eu gostei do teu nome russo, que, só depois fui saber, era inglês. Mas aí já era tarde. Eu falei pra uma amiga que te achava bonitinho. E aí ela te falou. E foi pra isso que eu falei pra ela. Um dia a gente se encontrou no Baixo Gávea e você me disse: ##########. Eu não lembro o que você me disse. Só lembro que a gente combinou alguma coisa. E eu já sabia que a gente não combinava. Mas isso era o de menos. A gente foi mesmo assim. Primeiro pra um clipe da Zélia Duncan, numa locação na Avenida Brasil que tinha umas piscinas enormes; depois pro seu apartamento na Gávea que tinha um sofá vermelho da Forma, e um aquário com um troféu da MTV; depois pra minha casa de Angra, onde você apareceu, a gente já par desfeito – ímpar desfeito tem mais a ver – com teus filhos lindos e tua namorada alta. Eu não entendi nada, mas eu gostava tanto de não te entender que enquanto eu sorria "assim eu ia". Até que a gente combinou de se encontrar em Paris, mas aí, na última hora você mudou de ideia e acabou indo pro Egito com a Lu, que até agora ainda não tinha entrado na história, mas que era a mina mais linda e bacana do pedaço e tinha feito com você

aquele clipe foda do Djavan no qual ela raspava a cabeça. E agora, enquanto eu te escrevo, um ano depois disso tudo e você já casado com a mais incrível das atrizes – minha ídola –, e vocês já tendo feito juntos, inclusive, aquele clipe gênio do Paralamas, fiquei com vontade de te dizer que, de tudo o que a gente não viveu, só uma coisa me faz falta: o nome russo, que, depois eu fui saber, era inglês. Mas aí já era tarde...
Maria
1999

Paulo

Filme: *Viagem a Tóquio* (Ysujiro Ozu)
Música: "Drume negrita" (Bola de Nieve)

Paulo,
Outro dia você me mandou, emocionado, uma mensagem pelo WhatsApp dizendo assim: Estou aos prantos, Maria.
O Brasil é lindo.
Vou levar açaí pro João.
Esses filhos da puta não vão destruir nosso país.
Acho que você ainda estava dentro do avião, e, vendo pela primeira vez os rios de Belém, tiveste uma espécie de ufanismo romântico (não sem a revolta que faz de você, você, naturalmente... rsrs) que me colocou num lugar, como é que eu vou te dizer... delicado. Sim, delicado, mas delicado do tipo bom. Porque a delicadeza talvez seja atualmente o sentimento mais otimista que eu sou capaz de experimentar. Aqui há uma dose de drama, ok? Aquele lance do Pessoa de dar uma aumentadinha no sentimento e acabar acreditando nele, ou então de fingir que acredita pra pesar um pouco o teclado e deixar a escrita mais grave. Se bem que o mesmo Pessoa falou que a superfície é profunda o suficiente. Eu juro que eu tenho déficit de atenção. Belém.

Ah, Paulo. Às vezes a gente ama certo, sabe? Quando me apaixonei por você, aos 21 anos, eu praticamente morava nesse lugar. Do otimismo. Da ignorância. Da fé. Amores pra sempre, pais imortais, amizades inquebrantáveis, ídolos, livros marcados com o meu nome e com o seu. Fofo. E você alternava entre uma ingenuidade comovente – essa mesma, de chorar ao avistar Belém – e uma amargura que até hoje eu não sei de onde vem. Dos seus pais, eu acho. A gente começou trocando artigos, lembra? Eu te levei um artigo da Ana Calado e você me levou alguma coisa do Frei Beto, eu acho. Você sempre indo pro lado político... Conhecer alguém profundamente é a coisa mais bonita desse mundo.

Ainda bem que a gente teve um filho, ainda bem que você ainda chora com o Brasil.

Te amo.

Maria

2017

Paulo 2

Paulo,

Ontem você me escreveu emocionado por causa da coluna das bonecas russas. Foi engraçado porque no mesmo dia eu tinha achado aquele livro do Rubem Fonseca que você me deu logo que a gente começou a namorar e que eu não via há muito, muito tempo. Há pelo menos quinze anos. Sabe aquele que são 2? *E do meio do mundo prostituto* e alguma coisa rimando, acho que charuto, esqueci agora. Que tem tipo um box, uma capa dura.

Foi o primeiro livro que você me deu, e você escreveu nos 2 volumes. Li ontem como se fosse a primeira vez, coração batendo e tudo, vou te dizer por quê.

No primeiro, você escreveu assim: Maria, te amo. E no segundo: vou te amar pra sempre. Eu acho que eu nunca li nenhum dos dois, mas é dos meus livros favoritos. Olho pra eles e a vida parece boa. Fiquei pensando naquelas dedicatórias, na caneta que você usou, e em como a sua letra me fez feliz por tantos anos. Até hoje tenho uma caixa com todos os bilhetes que você me deixou durante os nove anos que passamos juntos. Hoje isso não existiria, não é? Hoje é WhatsApp. Mas tudo bem, é bonito também, com certeza deve haver no mundo uma nuvem foda só com mensagens românticas trocadas pelo telefone. iCloud também é amor.

Na época da primeira dedicatória, eu ainda morava com a minha mãe e acho que nunca tinha lido nada do Rubem Fonseca, só o *Lúcia McCartney*. Aquele que termina com a Lúcia muito na merda, mas olhando pra frente, "hoje à noite eu vou à boate". Nunca esqueci. Sempre que eu fico muito triste digo pra mim mesma, "hoje à noite eu vou à boate". Ela era uma garota de programa apaixonada por um empresário misterioso e burguês, o José Roberto. Ele meio que falava uns enigmas pra ela, tipo: o leão é o rei dos animais? Ou coisa parecida... Lembra que eu queria até montar esse conto? No teatro?

Mas eu estava falando de nós dois. Era agosto de 1997 quando você escreveu, e a gente não tinha ainda a menor ideia de que teríamos um filho, de que iríamos ao Marrocos, de que seríamos tão felizes e tão tristes. Se bem que eu acho que eu já sabia, sim. Desde o primeiro dia de ensaio da peça. Você começou a me levar artigos, lembra? Os primeiros mais políticos, os outros mais suaves. Que coisa linda pensar nisso agora. Você e eu, vinte anos atrás, usando o jornal pra flertar. Hahaha. Muito analógico e romântico. Eu te amei muito. E agora que a gente tá no segundo volume, o do "vou te amar pra sempre", acho até que vou ler aquele Rubem Fonseca. Porque um ex-marido que manda uma mensagem pra ex-mulher dizendo que tá chorando por conta de uma coisa que ela escreveu e que depois ainda cita Anaïs Nin, isso quer dizer que a vida é boa. A gente briga muito, a gente discorda em quase tudo, mas eu sei que a gente se ama, e que nosso filho sabe disso.

Maria
2016

José Padilha

Filme: *Os excêntricos tenenbaums* (Wes Anderson)
Música: "Passarim" (Tom Jobim)

Zé,
Quando eu era pequena eu não gostava de você. Você não brincava comigo e tava sempre indo ou voltando do tênis.
Quando eu era adolescente eu gostava muito de você. A gente ia ao Bar Lagoa e tava sempre ou indo ou voltando de Búzios
ou indo ou voltando de Teresópolis
ou indo ou voltando da Guarda do Embaú
ou indo ou voltando do Estação Botafogo
ou indo ou voltando do Baixo Gávea
Agora eu não sei pra onde você tá indo ou voltando
Agora eu não sei
Você diz que não volta mais pro Rio
Que não volta mais pro Brasil
Que não volta mais
Que não volta
Que só vai
e eu, pós-Drummond,
E aqui de cara pra Mata Atlântica,
te pergunto:

Pra onde, José?
Pra onde?
2017

Fátima Bernardes

Filme: *Cisne negro* (Darren Aronofsky)
Música: "I will survive" (Cake)

Fátima,
Eu queria te pedir desculpas. Eu não queria ter sido invasiva. Eu não queria ter dito o que eu disse. Quer dizer, querer eu até queria. Mas eu não podia. Eu não podia, perdão. A gente não é amiga. A gente não é colega. A gente não é nada. Não é porque eu fui te encontrar no seu programa que se chama *Encontro* que eu posso te dar um abraço no meio de uma sapataria. Não é porque eu sentei com perna de índio no seu estúdio e ninguém entendeu quando você me repreendeu por estar com as pernas em cima do sofá – e isso foi uma coisa que a gente combinou no intervalo, tipo uma encenação – que tenho o direito de falar da sua vida pessoal. Eu não tenho. Por mais que a gente tenha criado alguma cumplicidade quando você me ligou no final daquele mesmo dia sem entender o motivo de estar sendo criticada na internet por ter sido dura comigo – quando você é uma das pessoas mais doces que jamais conheci, mesmo sem conhecer – que posso entrar numa loja no meio do Shopping Leblon e te dizer que vai ficar tudo bem. Eu não sei se vai ficar tudo bem. Nem comigo nem com você. Se separar é a coisa mais triste do mundo. Na escala de

dores feita por um estudo da Harvard, é pior do que quando alguém morre. Enfim.
Desculpa mesmo.
2016

Xico Sá

Filme: *Deus e o Diabo na Terra do Sol* (Glauber Rocha)
Música: "Amigos bons" (Junio Barreto)

Big Xico,
"É a curva que dá sentido à estrada." "Quem não reage rasteja." "A linha reta não diz nada de uma caminhada." Pois, sim, meu irmão. *Welcome to Brazil* profundo. Frases de para-choque de caminhão, produtos Avon comprados da vizinha, pai e filho juntos no prostíbulo da periferia. O sertão não virou mar, mas segue em toda a parte. Bem-vindos a Peixe de Pedra, onde quem não se move vira fóssil. Bem-vindos ao pequeno grande Brasil de Cláudio Assis, o mesmo de *Amarelo manga*, *Baixio das bestas* e *Febre do rato*.

Fui ver *Big jato*, último filme de Cláudio, baseado no romance homônimo de Xico Sá, e saí do cinema uma autêntica romântica rural – se é que isso existe – com vontade de ouvir forró e tomar cachaça, e com preguiça das Olimpíadas e do progresso. Progresso entre aspas, naturalmente. Às vezes a gente dá certo mesmo quando dá errado, ou exatamente por isso. Porque, apesar do assassinato da médica na Linha Vermelha, da onda conservadora que toma conta da Europa, e das cinco mortes na favela do Rola, tudo na mesma semana, ainda existem garotos fazendo cinema. Porque, apesar da Cláudia

Cruz e do Donald Trump, ainda existe gente que toca gaita no metrô. Nem tudo é matemática (nem a matemática). Nem tudo é Brasília e Curitiba com escala na Suíça, e nem sempre a onça morre no final.

Mas vamos ao filme. Francisco é um menino quase moço, que a despeito da brutalidade do pai e do dia a dia na limpeza de fossas, quer ser artista – isso no sentido amplo da palavra. Inspirado pelos livros da escola – palavrinha mágica que os governos seguem desprezando – e pelas músicas tocadas na rádio na qual seu tio trabalha (e a trilha do filme, a cargo do DJ Dolores, é sensacional), o garoto pressente um mundo que já tinha firme dentro de si: infinito, transcendente, os Beatles e os Betos – banda de rock tupiniquim, que, reza a lenda na cidade, deu origem ao quarteto de Liverpool – curioso, inadequado. "Esse menino pergunta mais do que trabalha", reclama seu pai.

Matheus Nachtergaele faz de forma igualmente brilhante os irmãos Francisco e Nelson, respectivamente o pai caminhoneiro árido e um radialista *bon-vivant*. Matheus já tinha feito um nordestino antológico na televisão, na série O *auto da compadecida*, adaptação de Guel Arraes para a peça de Ariano Suassuna. Seu João Grilo também carregava, como aqui, o DNA da nossa contradição de violência e cordialidade, misturando à la Macunaíma a pureza e a malandragem do herói sem caráter de Mario de Andrade. As vísceras, como diz Jards Macalé, em sua versão ator. Carteira assinada *versus* liberdade, entranhas *versus* juízo, nosso famigerado lado B.

Também Xico Sá, como Nelson Rodrigues, é um jornalista-escritor, ora limpando fossas, como quando descobriu o paradeiro de Paulo Cesar Farias nos anos 1990, ora fazendo poesia com suas crônicas semanais no *El Pais* e tiradas afetuosas na televisão. Sua história, a do sertanejo forte que vai embora mas segue não pertencendo a lugar nenhum, é a de muitos brasileiros, com maior ou menor sorte. Foi assim com Marcélia Cartaxo, grande atriz paraibana e ganhadora de um Urso de Prata de melhor atriz em Berlim – e também no elenco de *Big jato* –, e foi assim com a Maria, que deixou sua pequena cidade no Maranhão aos 17 anos, veio pro Rio de Janeiro conhecer o mar e "tentar a vida" e hoje trabalha comigo.

Xico também veio de longe, mais especificamente de Crato, no sul do Ceará. Chegou em Recife na adolescência, onde começou a escrever, de lá foi pra São Paulo e em seguida pro Rio de Janeiro, onde hoje mora. O escritor e sua pena dão expediente em Copacabana. Sua persona de macho jurubeba e Don Juan de esquerda disfarçam o melhor texto da praça, com frases agudas embaladas em gaiatice anarquista e ternura machista. Como todo gênio, nosso sertanejo recusa a farda, preferindo uma camisa florida.

Fui ver *Big jato* com meu filho de 13 anos – apesar da indicação ser 16 – e não me arrependi. Como o menino Chico, João também tem questionado a matemática. Triângulos de polígonos, acutângulos e notação científica não têm deixado espaço pra rima, mas a ida ao cinema não foi em vão. Ao contrário dos outros filmes de Cláudio, aqui, além da beleza dos planos, marca registrada do diretor, tem ternura na pedra e final feliz. O menino Chico consegue abandonar os números e conhecer o mar, em cena análoga a de *Os incompreendidos*, quando o também adolescente Antoine Doinel nos encara de frente, naquele *frame* eterno do francês Francois Truffaut. A vida tá só começando e a prisão da cidade pequena ficou pra trás, mas o futuro já é tomado por lembranças, como a lição da pedra do João Cabral, uma identidade esculpida na carne e que não há civilização que cubra. Ainda bem. Quem não reage rasteja.

Quem não reage rasteja, Corisco.

Maria

2016

Xico Sá 2

Eu acho o Xico a melhor pessoa do mundo. Agora. Porque antes eu tinha medo dele. Achava que ele era muito mais inteligente, muito mais bêbado, muito mais profundo. O que, aliás, é tudo verdade. Eu o via em São Paulo, lá no bar Balcão com o Junio Barreto e não me achava capaz de ser interessante pra ele. Pensava que pra ser amiga dele eu tinha que fazer Zé Celso, frequentar a praça Roosevelt, ler Plínio Marcos, ser um pouco mais gauche e marginal. Ter um pouco mais de sarjeta em mim, um pouco mais de dor. Mas, ao mesmo tempo, ele tinha no histórico duas ex-mulheres que são minhas grandes amigas. Se ele conversava com elas também podia conversar comigo. Eu não podia ser tão desinteressante… Talvez eu não seja. Mas depois de conviver aqui eu não quero mais ser interessante. Eu não quero mais conversar. Bora dar uma namoradinha?

2017

Amora

Filme: *Como nossos pais* (Laís Bodanzky)
Música: "Afterlife" (Arcade Fire)

Você (falando).

Você precisa ver o clipe do Arcade Fire com a Greta Gerwig. Mas isso à noite, óbvio. Agora a gente vai no antiquário das pratarias, porque ninguém acorda deprimido com manteigueira de prata. Se bem que manteiga nem pensar, tá? O lance é o ghee. Quer dizer, o lance é quase não comer. Ou então virar a Bela Gil. Vamos na Harvey Nichols? E não podemos esquecer o Damien Hirst.

Vem cá: que tal eliminar as golas de princesa? Tipo doar tudo na campanha do agasalho? Meio patético uma mulher de quase 40 vestida de Amélie Poulain. Calça *skinny*, nada de *flare*. Boca de sino é pra modelo. Vou tirar sua caretice. Às vezes te acho meio brega. Uma brega com potencial, que fique claro. Que horas fecha a parte de comida da Harrods?

Como é o nome daquele cookie foda que a gente comeu ontem? Quero levar um pro Brasil sem falta. Um, não. Uma caixa. A caixa grande. Precisamos ir à farmácia. Sabe aquela escova que já é meio secador? Aquilo muda a vida. Vamos comprar uma pra você. Acho que a gente vai ser amiga.

Nunca leu Jean Cocteau? Gênio absoluto. Não existe não ter lido Jean Cocteau.

E *Adaptação*? Não amou? Como assim não amou? Eu achei que a gente ia ficar amiga, mas agora tô com sentimentos misturados. Spike Jonze é assim: você levanta da cama e agradece por ter nascido na mesma época que ele. Aquele brechó fecha na hora do almoço? Surreal as coisas fecharem às 8h da noite nesse lugar.

Vamos lá, o que importa de verdade. Neurociência. Buracos Negros. Novas sinapses se organizando no seu cérebro. Pode começar com a Suzana Herculano, que é pra leigo. Quer dizer, iniciante. Você entendeu, porra. Devia ter comprado aquela bota cowboy...

Eu (pensando).

Não posso entrar nessa de Big Bang, não tenho estrutura emocional pra isso. O negócio é exercício físico e bons filmes, nada de ficar pensando nas explosões cósmicas. Golas de Amélie Poulain? Porra, mas eu gosto de rosa, e meu estilo é romântico.

Eu (falando, depois de ganhar um sopro de coragem).

Eu preciso me vestir de forma doce pra só parecer agressiva na hora em que falo. Dar uns cinco minutos de ilusão para as pessoas. Ok, talvez você esteja certa, vou pensar. Vamos lá na loja das camisetas de rock?

Eu (com medo de ela não gostar da minha indicação, mas fingindo tranquilidade). Jura que nunca ouviu Mallu Magalhães? Ela é uma coisa louca. O Pitanga é um disco sensacional, sem falar que ela e o Camelo são o casal mais foda do mundo, e ainda fazem vídeos incríveis em Bolex... Ok, o Jonze é incrível. Adoro *Her* e *Onde vivem os monstros*, mas nenhum cineasta se compara ao Wes Anderson. Ele se faz de tolo e como é esteta no grau quase psicopata muita gente o acha fútil. O que é ótimo, porque ele não é mesmo pra todo mundo. E quem não alcança não vale a pena. Um grande balizador de amizades. Vamos comprar aquela água rejuvenescedora que a Carol falou? Tá vendo essa ruga no olho? Tá foda. Gente, olha lá aquela loja japonesa de coisas úteis porém inúteis! Vamos entrar?

Isso foi em Londres, 4 dias, maio. Isso foi Amor.
Amor, não.
Amora.
Maria
2014

Amora Mautner, Instagram

dermato física quântica doutor jivago neurociência steve jobs shakespeare balmain sua carol minha carol seu pai meu pai nosso encontro

Eu vou almoçar com ela, ela pede *steak tartare* e eu peço igual. Sendo que eu não gosto de *steak tartare*. Aí ela compra um brinco grande e eu imito, mesmo não usando brincos grandes. E assim é também com livro, calça jeans e música. A pessoa é geminiana e quem perde a personalidade sou eu. Porque essa mina é mais forte que um furacão e mais generosa que um pôr do sol, e gosta de dividir o que sabe, e quer que todo mundo veja a série que ela tá vendo, e prove a granola que ela tá viciada. @amoramautner *mai love*, volta logo que esse ano é nosso. Feliz aniversário, loira! Ilha do Amor, Madagascar ❤❤❤

2016

Camila Pitanga

Filme: *Redentor* (Cláudio Torres)
Música: "Morena tropicana" (Alceu Valença)

Camila,
Quando a gente falou por mensagem, duas semanas atrás, eu disse que queria ser sua amiga. Não, não foi um pedido de amizade pelo Facebook, e também não foi uma fala ensaiada com antecedência. Foi um papo distraído no WhatsApp, aquele *big brother* portátil com torturantes vistos azuis – *test drive* diário da nossa insegurança de uma vida inteira –, mas que às vezes surpreende com uns recados bonitos. Foi numa segunda-feira, no meio do dia, horário de pico da pessoa jurídica. Foi inesperado, leve, um recreio sem aviso prévio. Uma curva.

Eu tinha comentado na televisão sobre o meu namorado de adolescência por quem tinha sido completamente apaixonada – ter saído com você logo depois de terminar comigo. E continuei dizendo que o mais chato de tudo havia sido não ter podido sequer ficar com raiva, afinal, se eu fosse ele faria o mesmo – eu e a torcida do Flamengo. Sacanagem a pessoa ser alta, gata e legal ao mesmo tempo.

A pauta do programa era sobre substituição, e por acaso lembrei dessa história, que na verdade nem foi exatamente assim. Mas eu não podia perder a chance de falar bem de você – pelas costas, como meu pai me ensinou.

E aí você apareceu. Teve a delicadeza de pegar meu telefone com alguém e escreveu bem linda e divertida, embora rebatendo veementemente minhas acusações. Você escreveu pra devolver o afeto, e agora me dou o direito à tréplica, porque há uma semana que só penso em você.

Eu estava em Portugal, Camila. E mesmo que eu estivesse aqui. Não somos amigas, e também, mesmo que fôssemos... Às vezes só a mão do tempo, e também a do seu marido, da sua filha, e daquelas cinco pessoas sobre as quais deitamos a cabeça e o peso dos dias que não acabam.

Que tristeza, companheira. Que tristeza. Domingos era um ésse que não acabava nunca, e não é à toa que seu nome próprio era também um plural, e também um gerúndio, uma gramática, um dicionário *Houaiss* daqueles gigantes e que quase não existem mais. Gerúndios continuam, Camila. Gerúndios não terminam a ação. Não têm ponto final. Seguem existindo. São reticentes e donos do tempo.

Aliás, pra mim, Domingos está logo ali. Com você na novela, no cinema com a Ingrid, no filme novo do Daniel Rezende, dançando com a Luciana, fumando charuto com o Ricardo, soltando fogo no circo que manteve firme dentro de si. Galãs palhaços não morrem. Nada de vida real ou noticiário, nada de lamento ou música triste. E essa foi a parte boa de não estar no Brasil. Quando soube de tudo, jantando dentro de um antigo convento em Lisboa e depois de horas com o celular sem bateria, saí pra chorar e dar dois telefonemas – para Caio e Carol, companheiros de Domingos na novela Joia Rara –, mas já havia decidido não ler mais nada, e não me render ao lado B de uma partida dessas, que sempre acabam sujeitas a reportagens infinitas, normalmente sob a linha tênue que separa homenagens de espetacularização.

Mas eu vim aqui falar de você, Camila. Porque você está do lado, e precisamos comemorar, e precisamos agradecer, e precisamos te festejar. Eu preciso, e não é de agora. Quando você estreou na TV, se não me engano em uma série sobre jovens modelos, o país todo parou pra dar valor à nossa cor, e, em meio à ditadura televisiva das louras de olhos claros, você chegou quebrando tudo, supra-Gabriela, Chapéu Mangueira, Pitanga-Morena-Rosa.

Você fez questão de gritar sua negritude onde quer que fosse, e nada no Brasil importa mais do que isso. E além disso, você foi amadurecendo linda, se transformando na grande atriz que hoje é, e sempre comprometida com causas invisíveis, como o trabalho escravo e a preservação do meio ambiente, e sempre na suavidade, rindo, sem nunca ostentar a moça politizada ou o tanto de formosura.

E você saiu da televisão e foi pro cinema, e fez aquele longa incrível do Cláudio Torres com o Pedro Cardoso, e ganhou prêmio com o Beto Brant, e foi índia do Luiz Bolognesi e do Guel Arraes, e voltou pra fazer novela com o Wagner, e saiu pra fazer teatro cabeça no sertão, e sempre recusando a hierarquia tola à qual normalmente submetemos nossos trabalhos, como se um veículo fosse mais chique ou importante que o outro.

E agora você passou por tudo isso, e eu queria dizer que ao lado da imensa dor de termos perdido um artista tão especial, – e, mais grave e importante, uma pessoa tão especial –, reganhamos você, e isso não pode ser deixado de lado. Domingos teve o privilégio da sua parceria, da sua mão estendida, do seu riso aberto, da sua inteireza, e, principalmente, da sua companhia. Nós, na plateia, também temos.

Um viva pra você, Camila. Obrigada por estar aqui.

Maria

2016

Fernanda Torres

Filme: *A marvada carne* (André Klotzel)
Música: "Super mulher" (Jorge Mautner)

Cara Fernanda,
Fiquei sua amiga, sem que você soubesse, quando eu tinha 10 anos. Você fazia uma novela chamada *Selva de pedra* e sofria muito, tanto que teve até que assumir outra identidade, acho que a da sua irmã que já tinha morrido (e viva Janete Clair!). A Cristiane Torloni era a vilã bruxa má e você fazia a mocinha gata borralheira, só que toda vez que você chorava, a Verônica Sabino cantava uma música triste que fazia parecer que ficar triste era quase bom, de modo que eu sofria com você, de mãos dadas, esperando o Tony Ramos nos fazer feliz.

Depois eu cresci e nossa relação ganhou estabilidade. Você fez um filme chamado *Terra estrangeira*, do Walter Salles e da Daniela Thomas, e quando você mandou *Vapor barato* à capela e chorando, naquela estrada, na fronteira de Portugal, tomei a decisão que me faz escrever agora este texto.

Também quero fazer filmes em preto e branco, também quero fazer a Nina da Gaivota, também quero trabalhar com Domingos Oliveira e Aderbal Freire Filho, também quero... ser você. Nossa diferença de idade não é grande – dez anos

– mas quando eu tinha 20, e você tinha 30, parecia que eu nunca chegaria lá.

Chegar lá é um conceito altamente relativo – atualmente acho chegar na minha casa o suprassumo da felicidade – mas, pra uma jovem atriz, a tua trajetória era mais do que um norte. *Kuarup, Marvada carne, Eu sei que vou te amar*, a Vani de *Os normais, A casa dos budas ditosos* (pulei os *Geralds* por problemas com fumaça...). E além da versatilidade você também era inteligente e bem-humorada, ou seja, você interpretando você mesma também era uma personagem incrível.

E aí você começou a escrever. Meio de leve, se dizendo influenciada pelo convívio com João Ubaldo Ribeiro, apareceu com uma coluna em uma revista semanal e toda vez que eu lia me dava um misto de contentamento e raiva. Como assim você ainda é boa de texto? Nem repetir palavra você repetia. Filha da mãe. E assim você foi indo embora sendo boa em tudo e lançou até um romance, *Fim*, em que os protagonistas eram homens (quer dizer, nem pegada *egotrip* você tinha, que ódio!).

E de repente, por causa de uma crônica sobre o feminismo no blog #agoraequesaoelas você passou a ser considerada a mulher mais machista do país. Nós não somos amigas, mas como eu sou boa de relação unilateral com gente que admiro, venho aqui ser mais uma voz nessa gritaria e te dizer que para mim, Fernanda, você segue sendo o norte de sempre.

Mas eu não vim aqui falar de política. Eu vim pra dizer que fiquei sua amiga sem que você soubesse. E que continuo, de mãos dadas, esperando o Tony Ramos nos fazer feliz.

Maria
2016

Carmem Verônica e Renata Sorrah

Filme: *Central do Brasil* (Walter Salles)
Música: "Injuriado" (Chico Buarque)

Toda quarta-feira eu abro o e-mail tensa. Mentira, não é toda, não. São duas quartas-feiras por mês. Duas. É que escrever "toda" dava mais dramaturgia pra começar o texto. Enfim. Duas por mês. O resto da semana eu só fico tensa o tempo inteiro por todos os motivos óbvios, como o Alexandre de Moraes aí na agulha pro STF, os buracos negros do Universo e a quantidade de refrigerante que ainda tomo aos 41 anos. Mas essa não é a questão. A questão é a Carmem Verônica.

Sim. Carmem Verônica. Minha analista já fala dela, inclusive com alguma intimidade, usando só o primeiro nome. Eu, não. Prefiro a composição. A hierarquia. A formalidade. E acho bonito essa coisa de dois nomes próprios. Fernando Henrique. Flávia Alessandra. Maria Mariana. Otávio Leonídio. Este último, por acaso, é o nome do meu digníssimo irmão, e nunca entendi o porquê de, entre os quatro filhos do meu pai e da minha mãe, eu ser a única a ter um nomezinho só. Aqui tem uma pausa. Que ainda não terminou. Talvez seja por isso. A insegurança. A solidão. A angústia. Se eu tivesse outro nome pra fazer companhia à Maria (alô, Pelé!) eu não me sentiria tão só e não teria tanto medo de morrer e de ter medo e de não gostar do *La la land*. Preciso lembrar de falar disso na terapia. Talvez tenha acabado de ter um *insight*. Talvez possa fazer numerologia e incluir um Luísa no meu CPF, já que era o nome da minha avó paterna. Já que era o nome que eu receberia não fosse minha mãe querer um nome "mais simples" na última hora. Mas essa não é a questão. A questão é a Carmem Verônica.

Ali por volta do meio-dia, a Carmem Verônica começa a me encaminhar os e-mails dos leitores. No início – e faz um ano agora em março – rolava uma certa taquicardia com a leitura de algumas palavras pouco gentis. Assim como rolava também uma tola e deliciosa euforia com os elogios. Um dia a Renata Sorrah me ligou. A Renata Sorrah, gente! Heleninha, Nazaré, ela cantando em francês no *Madame Satã*, trilha sonora do Zé Ramalho e ela andando a cavalo na Chapada Diamantina, acho que meio a fim do Lima Duarte. Enfim, a Renata Sorrah. Pois bem. Um dia ela me deixou uma mensagem de voz pra elogiar um texto do jornal e dizer que estava indo tirar uma xerox pra sua filha Mariana. A vida é boa. Eu quero deixar muito claro que não sou amiga da Renata (queria ser!), nunca trabalhamos juntas (perdi pra Guta Stresser o papel que foi da Natalie Portman no *Closer*, e que a Renata produziu no Brasil com direção do Babenco), e nunca fui fã de mensagem de voz. Então, não sei se chorei porque ouvi a voz da Heleninha da minha infância e fiquei com saudades de ver novela gravada com o meu pai (ele "acelerava" as partes chatas… rsrs), ou porque ela falou a palavra xerox e me lembrei da PUC e do tempo passando e dos buracos negros do Universo, ou apenas porque me senti um pouquinho escritora, mas o fato é que foi um dos momentos mais felizes da minha vida. Sempre que estou triste ouço a mensagem da Renata e é tipo caber na minha única calça 36.

Mas também não era disso que eu estava falando, e sim da Carmem Verônica.

Carmem Verônica apenas repassa os e-mails. Não me consola quando é porrada nem me dá parabéns quando é elogio. Sua função é o *feedback*. Eu que me vire com os sentimentos. Uma vez, um senhor escreveu pro Merval Pereira para pedir que, por favor, ele desse um jeito de tirar do jornal a minha coluna e a do meu amigo e ídolo Fred Coelho. Como se o Merval – que escreve sobre política e economia e não deve nem ler minhas *egotrips* quinzenais – não tivesse mais o que fazer do que esse tipo de intriga. Outra vez, uma professora de Campos escreveu reclamando do meu português, que eu mudava toda hora os tempos verbais, e que usava "tá" em vez de "está", e que às vezes usava aspas, e outras, não, e que assim não era possível. Mas a melhor carta, quer dizer, e-mail, de todos os tempos, chegou em um 8 de fevereiro, a respeito da coluna "Outono". Preciso reproduzir. Preciso, querendo dizer que realmente preciso.

"Sr. Editor, Maria Ribeiro tenta um estilo de escrever diferente. Ela quer ser única. Transmita a ela que um pouco de humildade não faz mal a ninguém. E que ela escreve no espaço que aos domingos escreve Artur Xexéo, fácil de ler, inteligente etc. Afinal, se ela é inteligente como pretende demonstrar, não é necessária essa pretensão toda (aqui o leitor usou caixa-alta, mas minha religião não permite). Veja se acalma a moça. Como se diz na prática: menos, menos." Ah, e ele termina com um "atenciosamente", o que achei meigo.

Poxa vida, senhor leitor. Vou tentar ter um estilo menos diferente, tá bem? Não é por mal. Juro. Não é de propósito. E posso falar a única certeza que tenho na vida? Eu não quero ser única. Única é a única coisa que eu não quero ser. Eu quero pertencer desde a época das aulas de Educação Física. Eu quero companhia. Eu quero mensagens de voz da Renata Sorrah. Eu quero confraternizar com o Merval e com o Fred e com o Xexéo e com o Ancelmo – e principalmente com o Jorge Bastos Moreno – e até com o senhor, caro leitor. Porque a vida é breve e às vezes doída, e eu quero ser feliz.

Carmem Verônica, tudo isso é pra te dizer só uma coisa: eu sei que a nossa relação é virtual e que você trabalha pacas, mas se um dia a gente se esbarrar, me dá um abraço?

Maria
2017

Para mim mesma aos 18

Filme: *Minha mãe é uma sereia* (Richard Benjamin)
Música: "Beat acelerado" (Metrô)

Maria,
Você acabou de fazer 18 anos. A vida começou a melhorar e o medo da noite e dos fins de semana diminuiu bem. Você ainda não anda nem de avião nem de elevador e nem entra em túnel sozinha, mas a falta de ar melhorou muitíssimo. O verão também já não é aquele pânico, mas o chato é que você está sofrendo muito por causa de um cara. Vocês namoraram um pouco, três meses e catorze dias, mas depois, ele, um ele que se chama Rafael, e não "chama-se" Rafael, quis ir pra Morro de São Paulo sozinho, quer dizer, sozinho não, com os amigos, com as amigas, com sei lá quem que não você. Que ficou péssima. Era dezembro, uma sexta-feira, 5 horas da tarde, e nesse dia você ligou pra Marcella pedindo que dormisse na sua casa. Devia ter uma lei que proibisse separações em dezembro, e também às sextas-feiras. Devia ter uma lei que proibisse separações e autorizasse Marcellas. Mas não tem. A Marcella. A Marcella foi uma garota que você conheceu na praia, o que é estranho, porque você não ia à praia. Mas um dia você foi. Você foi à praia encontrar a Maria Eduarda, que era uma outra amiga, e aí ela te apresentou a Marcella, que

ficou muito mais sua amiga do que a Maria Eduarda. Nesse dia, da praia, vocês descobriram, você e a Marcella, que dali a um mês entrariam juntas na PUC, e vocês acharam isso uma coisa quase esotérica, ainda mais que ela era, que ela é, de Sagitário. Sim, você entrou na PUC. Comunicação Social. Foi um tempo bom. Primeiro que você sempre quis estudar na PUC, por nenhuma razão consistente, o que às vezes é até melhor. Depois porque você começou a dirigir, e a sensação do volante junto ao fato de nunca mais na vida ter que ouvir falar de química e física é realmente uma evolução na vida de um ser humano, Pokémon *feelings*. Então você está na PUC, sofrendo por causa do Rafael, que também estuda lá, morando com a sua mãe e o seu padrasto numa casa no Humaitá, e indo ao Bar Lagoa aos domingos com o seu irmão e com o seu primo. Essa parte – seu irmão e seu primo – ocupa meio que metade da sua vida, tanto que mais pra frente você vai achar que precisa se afastar um pouco deles pra fechar verdadeiramente com alguém. O alguém Rafael, no caso, não quer fechar com você no momento, mas vai que um dia ele queira, como realmente depois ele quis? Mas por enquanto você não sabe. Nem que o Rafael vai fechar com você nem que você precisa se afastar um pouco do seu irmão e do seu primo. Então, você só sabe que está sofrendo muito por causa do Rafael e sendo muito feliz com a amizade da Marcella. Na semana passada você ficou ainda pior do que péssima porque o Rafael foi ver a sua peça com a nova namorada dele, que é simplesmente a Camila Pitanga, uma garota deusa e ainda por cima atriz, gente boa e engajada, ou seja, uma coisa que também devia ser proibido. Ele foi ver a sua peça porque a irmã dele também a fazia, mas eu acho que se ele fosse um cara realmente legal ele não teria ido. Enfim. Mas uma coisa boa que aconteceu independentemente de você estar sofrendo por causa daquele que se chama Rafael, e não chama-se Rafael, é que você mudou de fase. Se bem que, pensando agora, eu já não sei se é uma coisa tão boa. Porque você não pede pra mudar de fase, você muda e pronto, você que se vire. Ficam dois vocês tendo que caber em um, de uma hora pra outra. Então de repente você não tem mais nada a ver com as suas amigas do colégio, nem tem vontade de fazer as mesmas coisas e nem de ouvir as mesmas músicas. Primeiro que você já não fez intercâmbio, o que pegou supermal, e agora você não viaja mais nos fins de semana porque tem ensaio, o que ninguém entende também, já que não existe a opção "fazer teatro" na galera com quem você cresceu, é tipo virar astronauta. Mas a questão do intercâmbio é/foi séria pra você. Porque você não podia nem pensar em pegar um avião com uma mochila da STB e muito menos morar em uma casa estranha e muito menos ainda falar "meu pai americano", isso pra quem tem angústia é tipo uma tortura chinesa executada por um norte-coreano, o que te deixou péssima porque todas as suas amigas "estão tendo uma experiência incrível e estão lavando sua própria roupa e falando um inglês gênio". Na verdade, essa troca de existência, que é tipo um Chico Xavier sem o espiritismo, quando você é uma pessoa e ainda assim recebe uma outra, começou um pouco antes dos 18, idade estabelecida pela lei dos intercâmbios para fazer intercâmbio; essa escamação começou lá pelos 15, quando você teve aquela depressãozinha que não foi *inha* mas também não gosto de falar *ão* porque senão parece ostentação de profundidade. Mas que começou a diminuir quando você foi fazer teatro. No teatro você conheceu uma gente diferente, e achou que aquela gente diferente era mais parecida com você, então você passou a ser igual àquela gente que antes era diferente, e a outra gente igual que cresceu com você é que passou a ser diferente, mas tudo isso meio que doeu muito. E você não sabe, porque afinal você só tem 18 anos. Você também não sabe que, lá na frente, embora continue doendo sempre, você meio que vai se acostumar e vai até fazer uso de alguns perrengues para escrever ou atuar. Daqui de onde te escrevo, do futuro do Lulu Santos (de onde ele vê a vida melhor), mais precisamente do ano de 2018, 24 anos depois de tudo o que você está vivendo agora, eu te asseguro: a vida é boa, Maria. Você vai ter filhos, amores, trabalhos bonitos; vai ter amigos, histórias, encontros. Mas o mais legal eu deixei por último: você vai ter você, companheira. Inteira e independente, e em cima de duas pernas firmes. Mas ó, isso só em 2018. Conto com você.

Maria
2018

Carta para X.

Filme: *Juno* (Jason Reitman)
Música: "Beatriz" (Chico Buarque e Edu Lobo)

Cara X.,
Estranho não poder dizer seu nome, tão bonito. De uma música que eu adoro, do Edu Lobo e do Chico. Não sei se você conhece. Se é o seu tipo de música (como se a gente só tivesse um tipo de música e não fosse mudando de acordo com o tempo…). Ainda mais você, que só tem 16. Se bem que não é "só". Dezesseis pode ser muito. Pra mim foi.
Na sua idade eu gostava de Bob Marley e tinha falta de ar. Achava que era asma, mas como também doía o peito, vi que não era só isso. Nenhum remédio dava jeito, e piorava muito nos fins de semana. Meu pediatra, em nosso derradeiro encontro, receitou Valium – um calmante um tanto forte, e hoje praticamente "de época" –, mas como meu irmão foi totalmente contra, acabei voltando pra um Tylenol, que dava sono.
Sem química e sem ar, passei a frequentar um grupo de jovens de uma igreja ali na Gávea. Pra ver se passava a tristeza. A gente rezava cantando e dançando, tipo um baile funk, só que com Jesus. Devia ter feito análise, mas meu pai não deixou. A irmã dele se matou com 30 e poucos anos, então ele não podia ouvir as expressões "angústia" e "terapia".

Mas hoje eu faço, 2 vezes por semana. Você também tá fazendo, não é? A minha é freudiana (eu acho). Não pergunto pra minha analista essa coisa de linha porque ela vai falar que isso não importa. Mas eu acho que importa, sim. Porque o Freud escreveu muito sobre sexualidade e a minha não era lá das mais plenas: muita aula de religião nunca dá certo... Você tá na escola? Em que ano? Tem uma matéria de que goste mais?

Demorei pra querer crescer. Pra achar bom ser mulher. Porque na minha casa – de classe média-alta e supostamente feliz – não era. Meu pai, a quem eu amava profundamente, mandava. Minha mãe – que hoje é casada com um cara incrível, preciso dizer –, obedecia, e todo mundo era meio propriedade dele, numa violência naturalizada e inconsciente. Homem grita, homem manda, homem decide.

Você tem um filho, não é? Eu também. Dois, na verdade. Tenho dois filhos homens. E um neto, Caetano. Sim, meu filho Bento, de seis anos, tem um boneco a quem chama de filho, de quem cuida diariamente, o que inacreditavelmente ainda gera surpresa tanto na escola – ainda omissa nas questões de gênero – como na rua, pelo simples fato de ele ser menino.

Temos uma responsabilidade muito grande, cara X. Porque a gente vive nesse país onde o Bolsonaro diz o que bem entende sobre estupro e tortura e não vai preso. Onde o secretário executivo de governo do Rio de Janeiro relativiza o episódio de agressão no qual esteve envolvido sete anos atrás perguntando "quem nunca perdeu o controle numa discussão?".

Onde Alexandre Frota, que já disse na televisão, entre risos, ter estuprado uma mãe de santo – não vou classificá-lo como ator pornô porque respeito a categoria – é recebido com honrarias pelo ministro da Educação, Mendonça Filho. Onde o Ministério do presidente interino Michel Temer – aquele que mantém sua jovem mulher no lar, e que, assim como faziam os coronéis, deu seu próprio nome ao filho macho – é todo composto por homens, e digo "homens" com profundo incômodo, como se o referido elenco ferisse a palavra.

    Não tá fácil. E você só tem 16. Mas, olha, depois dos 20 melhora consideravelmente. Arrisco dizer que aos 30 fica quase bom. E até lá tem muita coisa que ajuda. Se você quiser depois te faço uma lista de livros e filmes que fazem a maior companhia. *Thelma e Louise*, do Ridley Scott, pode ser o primeiro.

    Esse fim de semana, aliás, vi um filme – tudo bem que cheio de clichês – chamado *A garota do livro*. Você costuma ir ao cinema? A direção, da americana Marya Cohn, é óbvia e no limite do cafona, mas a trajetória da protagonista é bonita e afirmativa, uma mulher que precisa rever um trauma pra se recolocar no mundo. É um filme sobre abuso e invisibilidade, feminista como deve ser esse ano de 2016.

    Porque a despeito da nebulosidade – até pra você – que ainda cerca o teu estupro, e da espetacularização da notícia (por favor não dê mais entrevistas), estamos diante de uma antiga tragédia brasileira: a ausência de um programa de planejamento familiar, de uma escola forte e uma política que discuta o acesso ao aborto para meninas de baixa renda, já que as ricas o fazem com segurança e clandestinamente. Ser mãe aos 13 já te torna vítima, cara X. A proteção que agora o Estado diz te oferecer está mais do que atrasada.

    Mas não foi pra isso que eu quis te escrever, e sim por causa da música do Chico. Não vai ficar assim, companheira.

Somos todas Genis, e teu nome vai voltar pra você ainda mais bonito.
   Maria
   2016

P.S.: Escrevi essa carta ouvindo o disco da Elza Soares, "A mulher do fim do mundo". "Cadê meu celular?/ Eu vou ligar prum oito zero/ Vou entregar teu nome/ E explicar meu endereço/ Aqui você não entra mais." O álbum é todo uma obra-prima, e devia ser ouvido em salas de aula.

João, catorze

Filme: *Chef* (Jon Favreau)
Música: "Something" (Beatles)

Porque você fez 14 na semana passada. Porque você torce pelo Fluminense. Porque você já leu *O velho e o mar*, *A revolução dos bichos* e *Os meninos da rua Paulo* – e eu não li nenhum dos três. Porque você discute política com o seu pai. Porque você olha no olho de todo mundo. Percebe quando eu tô triste. Gosta de açaí. Sabe o nome de todos os jogadores da seleção de 1958. Joga futebol.

Porque você anda há quatro anos com o chaveiro do meu pai pendurado no seu estojo. Porque você usa cabelo comprido. Porque você gosta de muita raiz forte no japonês. Porque você não usa Instagram. Me mostra vídeos incríveis na internet. Gosta de pouca coisa no quarto. Joga futebol.

Porque você reclama que eu fico muito tempo no celular. Porque você conversa comigo. Porque "Blackbird" é a sua música predileta dos Beatles. Porque você faz *stand up* com seus cachorros em Búzios. Porque você não gosta muito de sair de casa. Porque você tem os olhinhos puxados. Ainda não tirou o escudo da Chape do seu *avatar* no WhatsApp. Porque você joga futebol.

Porque você sempre me pergunta se tá tudo bem. Porque quase só você era Freixo na sua escola. Porque você acha o *Tá no Ar* o melhor programa da tv. Porque você gosta de *Honest Trailers*. Tem preguiça de viajar pra praia. Porque você joga futebol. Porque você nasceu na São José – a fórceps. Porque você nunca aceitou entrar em festa com animador e alto-falante. Porque você gosta de metrô. Porque você teve uma calopsita. Porque você tem o humor mais sofisticado que eu já vi. Tentou várias vezes me explicar o último *Star Wars* (e também como usar a Apple tv). Porque você joga futebol.

Porque você gostava de assistir aos debates do Trump e da Hillary na cnn. E não quis cantar parabéns na sua festa de 2 anos. Porque eu peguei seu amigo Joaquim no colo e ele assoprou as velas do bolo no teu lugar e você nem ligou. Porque você achou que tava muita confusão.

Porque você ia todo dia com seu pai ao Jardim Botânico. E voltava dormindo na bicicleta. Porque a gente morava na rua Araucária. Porque você gostava de trem e também da lua. E ouvia Toquinho, Los Hermanos e Tom Jobim quando era recém-nascido. Porque você finge que não é Áries só porque tem ascendente em Peixes. Porque você se faz de Peixes. Porque você é Áries.

Porque você agora sai sozinho. Porque você tem duas irmãs grandes e vai ser tio. Porque você lia pro seu irmão quando ele era bebê. Porque você jogava Wii com seu padrasto. Porque vocês eram grandes companheiros.

Porque seu pai te leva na Tijuquinha. Porque você viu *Os excêntricos Tenenbaums*. Porque você levou uma cobra no dia de levar bichos na Sá Pereira. Porque você imita a voz do Selton Mello na chamada do *Sessão de terapia*. Porque você falava de futebol com a Barbara Gancia. Porque vocês dois torcem pela Juve.

Porque você adora a sua madrasta e eu não fico com ciúmes – só um pouco. Porque, aos 3 anos, você entendeu tudo quando, na Cobal do Humaitá, eu te disse que eu e seu pai iríamos nos separar. Porque você ficou muito muito muito triste.

Porque você não gostava de dormir. Porque você dizia que dormir era ser rebaixado pra terceira divisão. Porque você já mudou de casa cinco vezes. Mudou de escola. E perdeu um peixe, uma gata e um avô.

Porque você tá puto com a situação do Maracanã. Porque você tem a coleção do Tin Tin. E não gosta de perder no ping-pong. E amou aquele filme, *Chef*.

Porque você é um cara feminista. Porque você foi com o seu pai ver o São Bento jogar no São Cristóvão. E viu comigo *Stranger Things*. Porque você não gosta do Cristiano Ronaldo.

Porque você achou que ia morrer de tristeza no dia do 7 a 1. Porque quando você ia ver Botafogo e Fluminense com seu primo Antônio – que é Botafogo – você ficava na dúvida se queria ou não que o Fluminense ganhasse.

Porque você fazia aquele cubo mágico em um minuto. Porque você já sabe que o quadrado da hipotenusa é igual à soma dos quadrados dos catetos.

Porque você se irrita quando o wi-fi tá ruim. Porque eu também me irrito. Porque você fez *Macbeth* na escola. E também *O gigante egoísta*.

Porque você foi pra Manchester com o seu pai e a sua irmã Juli e vocês quase morreram de frio vendo o City jogar a zero grau. Porque o seu primo foi morar em Los Angeles e você sentiu muita falta. Porque ele desencanou de jogar futebol e você achou uma pena. Porque você se importa com as pessoas.

Porque você queria que tivesse outra Copa no Brasil. Porque você assistia às Olimpíadas o dia inteiro. Porque você via os melhores momentos das Olimpíadas mesmo tendo visto os momentos inteiros, incluindo os piores. Porque você foi ver futebol de 5, tênis de mesa e tiro ao alvo. Porque você achou que ia morrer de alegria – depois de morrer de desespero porque pênaltis é faca no peito – no dia do 5 a 4.

Porque você vai crescer. Porque você tá crescendo. Porque talvez você não se lembre dessas coisas. Porque talvez eu não me lembre dessas coisas. Porque talvez você não saiba que a minha vida toda, mesmo com você já grande e longe de mim, eu vou sempre te repetir o poema/mantra mais lindo de todos os tempos, recitado naquele 20 de agosto de 2016 pelo eterno santista Neymar. Eu tô aqui!

Eu tô aqui, João. Você tendo 14, 15 e pra sempre.

Eu tô aqui.

Maria

2017

João, Instagram

Você já chamava João antes de existir, e quando existiu a vida passou pra primeira divisão. Você era apaixonado pela lua e depois por trem, e sempre fugiu de festa com animador. Você ia no Jardim Botânico com seu pai e ouvia Ventura com a sua mãe. Hoje você fala de futebol e eu juro que tento prestar atenção, mas era mais fácil aprender japonês. Hoje você faz 14 anos (puta merda!) e eu queria agradecer. Que foda que é conviver com você! Eu sei que você não gosta que eu poste nada, mas mãe é uma parada meio controversa, vai se acostumando... Te amo, Ju. Nunca vou sair daqui. Te pego à uma pra gente almoçar.

@joaorbetti 14 🎂❤

Fabio Assunção

Filme: *Amadeus* (Miloš Forman)
Música: "O vento" (Los Hermanos)

Eu jurei que não ia chorar. Que o importante é que ele não sofreu. Que amar é deixar partir. E que eu só tinha que agradecer. Obrigada, obrigada, obrigada. Meu amigo Moreno morreu como merecia. Rápido. Sem fome. Acompanhado. E com o kit "como se sentir seguro ou forjar algo parecido com adormecer na sala de casa recebendo cafuné de mãe", ou seja, Rivotril no bolso e celular na mão. Nada de CTI, traqueostomia, respirador. Nada de ressonâncias, exames pré-operatórios, agulhas, tubos, franguinho grelhado, enfermeiros homens, tudo que deixava o jornalista em pânico e sem ar. Sim, Moreno tinha falta de ar. Ah, o ar... esse misto de Deus com Godot, essa mão estendida que a gente quase alcança, essa lembrança de paraíso guardada em algum lugar da infância, ou até mesmo antes disso. Ar que me falta desde os 16 anos, mas que quando é suficiente tem o vento do Ilê, a voz do João Gilberto e a risada do meu Moreno.

Lembro de ter sido completamente feliz em sua companhia. Não sei exatamente o porquê. Talvez porque o Moreno me fizesse sentir especial. E talvez porque isso – se sentir especial – seja quase tudo nessa vida. Quase todo o deleite, e também quase todo o perigo. Filha, fica pertinho assim uma meia hora pro pai recarregar a bateria? Ouvi essa frase – dita por meu pai com o dengo mais profissional da história – por exatos 37 anos, 5 meses e 8 dias. Até que ele foi embora.

Foi Nelson Motta quem me disse uma vez assim: não há nada no mundo como amor de pai e filha, Maria. Tenho três meninas, posso te assegurar, é o topo da pirâmide no departamento felicidade de um homem. Nem mãe com filho, nem marido e mulher, nem a maior amizade, nem irmãos gêmeos são capazes de experimentar tamanha cumplicidade. E riu, contente, aquele jeito gostoso dele. Não sei se concordo. Vivi intensamente ser a caçula do Seu Leonídio, como o pessoal do Jóquei falava, a gente nas cocheiras dando blocos de açúcar pros cavalos, programa que eu amava e que fazíamos uma vez por semana, logo depois do pão doce colegial da padaria Rio-Lisboa. Mas tive também uma parceria emocionante com o meu irmão Otávio, dois casamentos apaixonados, dois meninos que a cada dia me fazem melhor, e uma infinidade de amigos incríveis. Sigo, portanto, sendo uma entusiasta ferrenha da família escolhida, atualmente minha cadeira mais segura e confortável do cinema, lugar idílico onde encosto a cabeça e canto desafinada. Amigos.

Moreno era minha família escolhida. Meu amigo. Meu irmão. Meu pai. Comemorei meus últimos 6 aniversários em sua laje. No último, se apaixonou pela atriz Andreia Horta. Não podia ver uma mina da novela que se encantava na mesma hora, o que me irritava profundamente. Deixa de ser cafona, Jorge Bastos, eu falava, não sem algum ciúme. Em sua última festa, o elenco feminino enfrentou uma concorrência pesada e inédita: Gilberto Gil e João Vicente de Castro eram os atuais amores do cuiabano. Eu reclamava que ele era deslumbrado com gente famosa, e que não cabia mais ninguém naquele coração cheio de puxadinhos. Mas a verdade é que sempre cabia. Moreno gostava do outro, queria saber da vida das pessoas, das suas histórias, dos seus pratos preferidos, e, parte importantíssima, de suas fofocas...

Seu velório foi a festa derradeira, e dava um filme tão bom quanto o feito por Glauber Rocha no velório do pintor Di Cavalcanti. Ok, talvez um pouco mais pop e com mais audiência pra *Contigo*... Mariana Ximenes, Jorge Mautner, Ancelmo Gois, Ali Kamel, Patrícia Kogut, Gregório Duvivier, Renata Lo Prete, Cristiana Lobo, Pedro Bial, Gerson Camarotti, Andréia Sadi, Zuenir Ventura, Miriam Leitão, Rodrigo Maia, Gilmar Mendes, gregos e troianos, flamenguistas e tricolores, petralhas e coxinhas, todos em trégua temporária para a despedida do amigo Jorge. Uma coluna social e tanto, do jeito que ele gostava.

Porque amar o outro é vê-lo como Deus o fez, me ensinou Domingos Oliveira parafraseando Dostoiévski. Quando meu pai morreu, eu pude enfim amá-lo com todos os seus defeitos, e algo parecido aconteceu na ida do Jorge. Talvez os dois fossem parecidos em suas piores vertentes, e talvez exatamente por isso eu tenha projetado uma paternidade naqueles pratos de feijão. Não importa. Às vezes é bom deixar Freud pra lá. Às vezes só é amor se a gente ama inclusive, e sobretudo, as partes que a gente não gosta.

Ontem eu fiquei meio triste, Moreninho. Foi aniversário do Gil e havia uma corda com amarração de marinheiro envolvendo todo e qualquer ser humano que recebeu o seu afeto. Dava pra ver, meu amigo. Era uma beleza. Letícia, Sandra, Paula, Miguel, Felipe, Flora, Carol, Carlúcia, Nilsinho, a gente agora é Filhos de Jorge, e vamos sair de bloco na Bahia e em São Conrado. Quero ser porta-bandeira e abre-alas, e tatuar no peito o nome de todos os nossos amigos. Agora, o fechamento dos Morenos é incondicional, e está escrito no estatuto que temos que alimentar e amar o próximo cada vez mais e cada vez melhor.

    E já que recebi essa herança, quero abrir a roda e convidar meu amigo Fabio Assunção pro próximo almoço da Carlúcia com o peixe pantaneiro do Moreno. Fabio manja tudo de música clássica, fez aquele Carlos da Maia inesquecível, e acabou de rodar um documentário sobre o samba de coco. Isso sem falar nos encontros que tem promovido pra discutir a Cracolândia. Fabio é amor. Com as partes certas e as não tão certas. Assim me ensinou Moreno. Assim vou viver sem ele. Tudo é uma questão de dar o Google certo.

Maria
2017

Domingos Oliveira

Filme: *Barry Lyndon* **(Stanley Kubrick)**
Música: **"My way" (Frank Sinatra)**

Quando a gente se conheceu, vinte anos atrás, foi como se o mundo tivesse surgido de novo pra mim. Nietzsche, Bach, Jacques Brel, Noel Rosa, Schopenhauer, É o Tchan, uísque, Ibsen, Teresópolis, Brecht, Barry Lyndon, queijo quente com açúcar, aquele Bergman das crianças que eu nunca consegui terminar, xadrez, pastilha dragê da Kopenhagen, Maysa, Carlitos, Cabiria, Chet Baker, Sartre.

Era 1 peça, que viraram 2, que viraram 3, que viraram 10, que quando eu vi era a vida mesmo, muito melhor desde que você tinha entrado nela. Pode ficar. Eu feita de pai e irmão passei a ser feita também e sobretudo de você. De você e de toda a sua gente, a sua "tropa de guerreiros contra a morte", como você sempre gostou de dizer. Eu-você. Sua filosofia do Leblon entrou na minha pele junto com o mar da infância e o João Gilberto da adolescência, e agora é tudo viga, é tudo casa, é tudo porto.

E você fez 80 na semana passada. E porque você fez 80 na semana passada eu resolvi te dizer umas coisas, tipo DR braba, cena com *fog* e em preto e branco, nós dois com copo na mão. Primeiro que eu tô meio chateada. Não sei exatamente com o quê, mas acho que descubro até o fim deste texto, escrever é escavação. Segundo que eu acho meio chato esse negócio de você sempre querer conhecer gente nova.

A pessoa quando chega a uma determinada idade devia parar de socializar tanto e se contentar com quem se tem, caramba. Ainda mais você, que tem muito. Só na sala do seu apartamento tinha bem umas 40 mulheres na última quarta-feira, e eu nem preciso ser indiscreta e falar das duas Fernandas, que, como vieram antes de mim, eu sou obrigada a aceitar, independentemente de elas serem aquelas deusas gênias e excelentes atrizes Palma de Ouro em Cannes e Urso de Prata em Berlim, e ainda por cima simples e simpáticas e inteligentes e já terem feito vários textos seus, além da adaptação dos *Budas ditosos*, do Ubaldo, e o *Do fundo do lago escuro*.

Isso sem falar na Priscila, na Dedina, na Eva, na Gilda, na Renata, na Mari, na Cristina, na Fátima, na Lenita, na Glauce, na Paloma, nas Clarices, na Andréia e na Denise. Ok que uma é sua mulher, outra é sua ex-mulher, outra é sua analista e outra é sua filha, mas isso são detalhes, um porre esse lance de família e de democracia.

Porque eu já tinha superado a Sophie, e não foi fácil, Domingos. Lembro como se fosse hoje, acho que também era o seu aniversário, e a comemoração foi no Tablado, com cantoria e trechos de peça. Eu já tava tensa, porque com dois filhos e trabalhando do jeito que eu trabalho – porque gosto, mas como pega mal eu meio que reclamo pra angariar um pertencimento – minha cadeira na sua mesa de 5 já tava vaga há algum tempo. Mas eu pensava comigo: "Tudo bem, Maria, amor de verdade segura qualquer ausência. Não vai ser essa menina da *Malhação* que vai pegar o meu lugar". Ã-hã...

Corta pra menina da *Malhação* (novela da qual também participei, antes que alguém reclame) cantando Kurt Weill à capela e em alemão, linda e afinada, e com um olhar tão puro e amoroso, e uma presença tão inteira e sem defesas, que, olha, não deu pra competir. Foi um momento pra sempre aquele. Você lembra, Domingos? Ali eu vi o tempo passando, e ali eu dei a mão e o lugar ao teu lado pra Sophie, e embora nunca tenha dito isso a ela, ali viramos irmãs. Eu-Sophie.

Nem preciso dizer que a Sophie é a Sophie Charlotte e que hoje ela ocupa o espaço que é seu de direito, porque além de linda, a alemãzinha é uma grande atriz e canta como gente grande, Hannah Shigulla que se cuide. Então tudo bem se você gostar mais dela que de mim, resumindo era isso que eu queria dizer. Eu topo a segunda posição. Eu topo reclamando, pode ser?

Porque você foi um amor seríssimo, Domingos. Uma mistura de pai, com amigo, com namorado, e com Mestre dos Magos, do He-Man. Você foi meu Yoda, com a pinta do Harrison Ford. Meu Antoine Doinel, meu Paulo José, meu guia de turismo, minha Bíblia. E você fez 80. E eu sinto saudades. Talvez minha tristeza seja parecida com a que sinto ao viajar com meu irmão, uma tristeza pelo tempo por si só, de não sermos mais quem éramos, de não nos encontrarmos todo dia e percebermos que acidentalmente estávamos com a mesma roupa, de não termos mais tempo – ou leveza – pra ficar horas ouvindo música francesa, de não sermos mais exclusivamente um do outro, mas, sim, também um do outro. Como você proferiu lindamente em *Todas as mulheres do mundo*, o difícil não é escolher uma, mas sim abrir mão de todas as outras...

Parabéns, meu Domingos, até os 90 temos muito tempo, e você tem toda a razão, o bom *business* é o *show business*.

Bora seguir cantando e lendo poesia, que a vida passa como um rato passa na sala. Feliz aniversário, e desculpe o tratado ciumento, juro que era pra ser uma carta de amor...

Maria

2016

Domingos Oliveira, Instagram

Ele se apaixona muito. Ele separa e fica melhor amigo das ex. Ele se emociona com os amigos, com a vida, com a morte, com a arte. Ele não pensa em dinheiro (só quando acaba). Ele fez um filme lindo. Ele é nosso Woody Allen com amor do John Lennon. E ele tem 80. Corre pro cinema que o novo filme do Domingos é a coisa mais linda. #BR716

2016

Boneca Russa

Filme: *Mesmo se nada der certo* (John Carney)
Música: "Tigresa" (Caetano)

E de repente, tudo mudou. Não, não foi de repente. Foi aos poucos. Foi indo, ficando longe, sendo de outro jeito. Talvez também não tenha sido tudo, mas só você, que foi deixando de ser você – você, no caso, eu – apesar do nome mantido e daquela amiga da vida toda. Mas não era esse o combinado, sair de si e começar de novo, e sempre, como uma boneca russa, uma dentro da outra?

E por que eu não percebi logo? Como uma criança que se vê crescer todos os dias e não percebe a enorme diferença que cada par de meses pode fazer no córtex de cérebro tão pequeno, eu também não vi a garota indo embora, e em seguida a filha. Eu só vi que tava estranho.

E não foram dois meses. Foram quarenta anos. Atari, PUC, filho, separação, casamento, despedidas, 7 a 1. Vim vindo como em um *videogame*, cujas fases se sucederam sem que eu me desse conta, e agora não dá pra voltar. Maldito Freud.

"That's Life", avisou o Frank Sinatra. Sem SAC, sem Procon, com pôr do sol. Bora lá? Não foi de repente, eu é que demorei pra ver. Há quanto tempo o viaduto do Joá tava em obras pra aquele túnel aparecer do nada? Desde quando o Fred não joga mais no Fluminense e marca pelo Atlético Mineiro? Há quantos natais eu não cabia mais naquela carne? "Deus mu dança", Gilberto Gil já dizia. Não foi de repente.

E não fui só eu. Muito pelo contrário, aliás. Eu não gosto de mudar. Preciso de CEP, de bairro, do moço do posto, de gente que eu já conheço, de restaurantes que não mudam o cardápio, da amendoeira do Itanhangá Center – que, aliás, tá precisando podar. Sou zero itinerância, e o sofá é meu pastor. Mas começou um movimento, tipo Ocupa Você Mesma. Seja sua própria avenida Paulista. Sem alternativa.

Primeiro foi a Bel, que voltou pra Laranjeiras porque a Barra da Tijuca tava muito "reaça", segudo ela e o grupo de mães no WhatsApp, "ficou uma coisa inviável". Depois foi a Carolina, que mudou pra Flórida levando o filho e o gato e 20 anos de um convívio totalmente insubstituível, porque sem ela eu simplesmente esqueço de tomar sol e não absorvo vitamina A.

E, por último, o seu Francisco, empalhador de cadeiras que ficava em frente ao Bar do Oswaldo, ali na Barrinha, e que nunca mais apareceu. Não sei por que a placa "empalha-se cadeiras" sempre me deu vontade de chorar.

Não foi de repente, mas começou a virar passado. E o presente vindo: disco da Céu, Olimpíadas, "primeiramente", Copa América, *hashtags*, frio, Rivalzinho, OcupaMinc. O disco da Céu, principalmente. Tropix. A música 11, "A nave vai". Não, nada a ver com o filme do Fellini, tudo a ver com o que eu tô falando, ou querendo falar, talvez sem conseguir. Às vezes a gente não consegue. E às vezes a gente viu um Fellini que não entendeu, *Oito e meio*.

Não foi de repente, mas começou a passar mais rápido. Meu filho de 6 mandava um português errado que faria inveja a Manoel de Barros e Guimarães Rosa, e de uma hora pra outra deu pra mandar uma profusão de concordâncias e plurais, que, juro, devia ser proibido. Sem falar na matemática. Quantos por cento de bateria, mamãe? Vou reclamar na escola. Deus, mudança. Barulho de chave, elevador, *playground*, cheiro de mar.

Um endereço é um bloco de lembranças com pastas organizadas por cor. Memórias-base, como naquele filme infantil que não é infantil, *Divertida Mente*. Dos quinze anos que passei no Horto, guardei no HD as palmeiras do Jardim Botânico e a padaria século XX, Fleetwood Mac tocando ao fundo. Dos oito vividos no Humaitá, ficaram a Estação Botafogo, o Baixo Gávea e o Bar Lagoa, e o Fiat Prêmio que, quando não tava na oficina, me levava ao circuito "ter 20 anos antes de existir a Lapa". Em seguida vieram, respectivamente, ruas Araucária e Jequitibá, e a maternidade ocupando tudo. E, depois, finalmente, atravessei o túnel. Sorria, você está na Barra. Estava.

Deixei pra trás uma amoreira plantada pelo meu filho mais velho, a primeira infância do meu filho mais novo, e o resto de meninice a que tinha direito. Será que a pedra vai lembrar do futebol dos meninos? Será que a floresta registrou nossa existência? Lá vou eu de novo... Abre-alas, 2016.

Não foi de repente, mas foi ficando longe. Tô na metade das bonecas russas, João Gilberto tocando ao fundo.

Falando nisso, esqueci de dar parabéns pra ele, que fez 85 anos na semana passada. Se bem que o João não me conhece, e parece que não é muito de social. Não importa, também. Nem tudo na vida é "dois v".

Feliz aniversário, João, e obrigada por tudo.

Me chamo Maria e acabei de chegar.

2016

Bento

Filme: *Viva, a vida é uma festa* **(Pixar)**
Música: **"Aquarela" (Toquinho)**

    Foi no dia da vitória do Trump, diante de uma rena enfeitada com pisca alerta. Quer dizer, pisca-pisca. Nove de novembro. Que antes – mais precisamente há 27 anos, pra configurar conhecimento – tinha sido o dia do muro de Berlim. Da queda do muro de Berlim. Que foi também do instante em que cheguei na São Vicente, a casa de saúde, coloca aí 41 verões me recuperando do banzo do útero de *mamis*. E que agora é do segundo em que, pela primeira vez, te ouvi falar com tristeza sobre o Natal.
    Quer dizer, você não tava triste. Pelo contrário, você é animado até com São Cosme e Damião. Eu é que fiquei preocupada. Que 6 anos é muito, Bento. E você já tem quase 7. E agora tem o Trump, esse segundo tiro no peito do John Lennon. Essa Disney ocupando o Brooklyn, na contramão das nossas escolas públicas. Esse deserto sem dramaturgia. Essa desilusão – sem a voz do Paulinho da Viola.
    De modo que não posso mais ser conivente, meu amor. Papai Noel é uma figura de linguagem. O amor é uma projeção. O mal existe. Eu não tenho certeza sobre aquele papo de céu. A gente precisa conversar de outro jeito.

Não, não é isso, expliquei mal. Não é figura de linguagem tipo "tô morta de cansaço", ou "o lego do Pokémon foi pro buraco negro". É mais tipo uma lenda, uma convenção, uma espécie de combinado, uma mentira institucionalizada que agora me parece nociva e sem sentido, ainda mais que a partir do ano que vem você vai pro prédio "dos grandes". Precisamos de um *update*.

Você contou que vai levar dinheiro pro lanche e que vai ter prova igual a seu irmão. Disse também que já decidiu que seus filhos vão se chamar Bernardo, se for menino, e Flora, se for menina, e que quer dormir sozinho e tomar banho sozinho, e que vai saber todas as letras do Michael Jackson de cor. Olha a bateria da segunda infância aí, gente! Chora cavaco! Você tá crescendo, Bento. E eu preciso falar a verdade. Dói. Dói meio que até sempre. Seu irmão já sabe. Resolvi avisar porque agora não tem mais Obama, o PT acabou, e até o Toblerone na Inglaterra tá com menos chocolate.

Desculpa, filho. Não foi de caso pensado. Nunca quis te enganar. Tem umas coisas que a gente reproduz sem pensar. Mas olha, existe o Natal. A gente vai montar a árvore, vai abrir presente, vai comer a rabanada de leite condensado da Vanessa e lembrar do aniversário de Cristo. Vão vir os primos e pode rolar cabana na sala e torta de maçã, sem falar no amigo-oculto. Tem uns caras que ganham um troco fantasiados nos shoppings com aquela roupa vermelha de inverno europeu, e tá tudo certo, porque não tá fácil pra ninguém... Mas esse velhinho fofo, único, atemporal é puro golpe, filhote, narrativa barata, instrumento de alienação. Papai Noel, *Halloween* e amor eterno entraram na lista de proibições de 2016, um dia você vai entender o porquê.

Eu sei que no começo vai doer. Eu mesma vou sentir em dobro. Mas uma hora melhora. Com as expectativas mais baixas, a superlua fica dentro, e não aparece só uma vez a cada sei lá quantos anos. Pequenas frustrações são o novo preto, existe amor na ausência de fantasias, bora comemorar o deus das pequenas mudanças, meu Bento.

    Eu, por exemplo, nunca pensei que fosse gostar de avião. Nem de avião nem de gato nem de ficar sozinha. Assim mesmo sem vírgula, porque medo não tem ar pra respirar entre um desespero e outro. Gato, filho, eu achava que era tipo o Flamengo, o time. No sentido de ter que escolher, sabe? De só ter direito a um. Sendo que, à época, minha única identidade estável era ser Fluminense. Há 3 gerações. Sendo eu um ser de cães. Labradores, principalmente. Que com eles me sentia importante. Que com eles não me sentia sozinha. Que com eles tinha algum sentido. Sentido, essa prateleira que não se alcança.

    O avião: primeiro eu não tinha medo porque o meu pai dizia que eu era igual a ele em tudo e ele não tinha medo – coisa boa não ter que ser por si só. Ser extensão. Depois eu fui virando alguma coisa que não mais exatamente igual a ele, mas também ainda não exatamente igual a mim, e aí eu fiquei na dúvida. Eu e meu medo. Nós dois ficamos na dúvida. Mas logo ele decidiu pisar firme, a humildade vem de onde menos se espera. Mas agora eu mudei de assunto completamente e já não sei como cheguei até aqui.

    Ah, que eu perdi 3 medos. Perdi 3 e ganhei 1, da imigração americana. Que na verdade eu já tinha. Que mais? Que eu sei que tá difícil dormir sozinho, eu na real só tô gostando de uns tempos pra cá. Que o vovô e a vovó tão velhinhos. Que a Disney é cafona, bora pro Ceará conhecer o Beach Park. Que eu não vou sair do seu lado, nas partes boas e nas partes chatas. Que Papai Noel não existe, e tem muita criança passando

perrengue. E o mais importante: que depois que passa a dor fica muito gostoso mudar. Prometo.
Maria
2016

Bento, Instagram

Mãe, hoje já é amanhã? Era meia-noite quando você me perguntou isso, há 2 semanas. Hoje já são 8 anos, filho. Você quer ser jogador de futebol, youtuber, você ficou triste quando o seu peixe morreu, você pede pra conversar "sobre a vida" antes de dormir, você gosta de saber das coisas com antecedência, você mistura a comida no prato, você desenha e toca violão, você não gosta de demonstrar fragilidade, você tem 3 grandes amigos, você sente saudades de quando era bebê, você faz piada com trocadilho, você quer voltar a Lisboa, você é apaixonado pelo seu irmão, você demora a se abrir com gente nova, você não gosta muito de sol, você sabe os temas das suas festas até os 12 anos desde quando tinha 3, você não é muito de beijo, você é o garoto mais carinhoso que eu conheço, você é um trevo de 4 folhas todos os dias. Tem gente que espera Godot, gente que espera o Messias, e gente que espera o grande amor. A gente espera o Pikachu, né, Bento? E não é pouca coisa, não. Te amo, Bento.
2018

Winona Ryder

**Filme: *Os incompreendidos* (François Truffaut)
Música: "It's my party" (Lesley Gore)**

Era uma lacuna. Um *Flicts*. Quase uma falta de caráter. "Já viu a última temporada de *Game of Thrones*?" "*Breaking Bad* é insuperável, mas só pega pra valer no segundo episódio..." "O *Narcos* com o Wagner é muito melhor do que o outro, mesmo o cara sendo colombiano..." "*Black Mirror* é tipo não existe viver sem ver, a história do primeiro-ministro com o porco, gente, o que que é aquilo?"

Só que eu existia. Sozinha, mas existia. Às vezes muda, às vezes deslocada, às vezes até mentindo que sim, eu também tinha pirado com *Orange is the New Black*, mas sinceramente? Nunca consegui compreender o ópio.

E eu tentei. Juro. Vi *Girls*, *Homeland*, algum *Mad Man*, *Sex and the City*. Talvez só as moças nova-iorquinas dos anos 1990 tenham me dado aquela mão mais firme, mas, bom, isso faz tempo. De resto, era tudo tentativa, como Bergman, Proust, comida tailandesa. Como uma estante alta que você, criança, espera ansiosamente o dia em que não vai precisar pedir pra ninguém pegar pra você o jogo, porque em algum momento você vai alcançar a prateleira. Como também vai alcançar o perdão. Mas esse é outro assunto.

Eu gosto de novela. *Avenida Brasil*, *Cordel encantado*, *Caminho das Índias*, *Senhora do destino*, *Força de um desejo*..., isso sem falar no Viva, porque *reprise* é droga pesada da categoria alerta vermelho, e evito passar ali como evito olhar acidente na rua e comer churro de doce de leite, lutando contra uma parada bem primitiva, tipo o Fábio Junior da infância ou o Mirabel com Fanta Uva que eu mandava pra dentro na hora do recreio. É claro que eu gostaria de ser mais *cool* e dizer que minhas vigas são feitas de Miles Davis e BBC, mas sendo de 1975, brasileira, e tendo no currículo ter sido fã de Julio Iglesias e *Karate Kid*, não posso negar minha maravilhosa e latina breguice melodramática.

Mas aí uma hora você é mãe, e uma hora você passa a ser mãe de um adolescente. Alguém me disse uma vez que a TV – e agora o computador – na sala é quase tudo no instante em que seus filhos começam a se afastar de você. Ver filme junto. Conversar sobre os filmes. Partilhar a abstração.

Pois então. Meu João, como todo garoto de 13 anos – privilegiado, é bom lembrar – é um ser da Netflix, e pra encostar distraidamente meu braço no dele, alcancei a prateleira das séries americanas, meu *top five* de pedidos pro gênio da lâmpada, junto com correr, comer bem, ler e ter coragem pra ir à Índia.

E fez-se a luz! Mesmo não fazendo parte da gaveta de seres humanos que gosta de sangue e faz questão de saber a fuça de um rim, me rendi com os dois pés dentro de *Greys Anatomy,* e praticamente me mudei pro Seattle Grace Hospital por mais ou menos três meses. Eu sei que a série é velha, careta, e totalmente Estados Unidos da América no pior dos sentidos, com toda aquela cartilha clássica e quadrada de arco da história e jornada do herói, mas mesmo assim... Meu primogênito e eu falamos juntos de vários assuntos espinhosos sem precisar de verbo nem predicado, e essa cumplicidade à la João Gilberto é muitas vezes mais funda do que o Roda Viva mais cabeça.

E já que eu tava ali, e que o sofá é realmente meu lugar no mundo tanto quanto a calça jeans, e que essa gente do Google e da Netflix sabe o que você quer muito mais do que você mesma, quando eu vi já era tarde, porque apareceu na minha vida um Jesus chamado *Stranger Things*.

O golpe é baixíssimo, tipo o açúcar escondido nas comidas. Porque você viu *Os goonies*, e a Cindy Lauper ainda mora no seu buraco negro. E porque, antes disso, você viu *E.T.*, e aquelas bicicletas são meio que a sua coluna vertebral, e, por último, a cartada mais barra pesada: Winona Ryder, porque você nunca se recuperou daquele paredão no qual ela foi expulsa da sua vida.

Ah, Winona, como eu te amei. *Minha mãe é uma sereia, Edward mãos de tesoura, Garota, interrompida,* o seu namoro com o Johnny Depp... Você não podia ter ido embora. Ainda mais por causa de um roubo na Sacks, aquela loja cafona naquela avenida de quinta (foi mal, não resisti...). Mas isso é passado, parceira, você voltou e agora é pra sempre.

Porque eu preciso saber se você vai ficar com o delegado, se a Eleven vai voltar, e se o Mundo Invertido é tão triste quanto parece. Eu preciso desse Frontal sem receita que a galera vem tomando há um tempo, e que só agora me dei conta do valor.

Ontem terminei o último episódio. Guardei os derradeiros vinte minutos pra ver quando voltasse de São Paulo, pra onde vou semanalmente gravar o programa do qual faço parte. Guardei o ópio pra um pouquinho antes de dormir, como se fosse um colo de mãe, ou uma companhia de filho. Que, aliás, estava ao meu lado e, ao me ouvir dizer que estava triste, sugeriu, do alto dos seus 6 anos, que eu visse tudo de novo, exatamente como ele faz com as temporadas do *Pokémon* ou dos *Power Rangers*.

Boa, Bento. É exatamente o que a mamãe quer. Tudo de novo. Winona, amor, chocolates e confiança.

Maria
2016

Eu não quero parabéns

Filme: *Terra estrangeira* (Walter Salles e Daniela Thomas)
Música: "Mulher de fases" (Raimundos)

    Eu não quero parabéns, muito obrigada. Também dispenso a rosa vermelha, e olha que eu amo rosa. Principalmente vermelha. Amarela também, acho linda. Talvez até prefira, na verdade. Menos óbvio. Não, não tem a ver com feminismo, não precisa ficar tenso. Quer dizer, talvez tenha sim. A ver. Com feminismo. Mas, juro, não precisa ficar tenso. Não precisa. Mesmo. Não é nada com você. Não é nada contra você. Não é sobre você, na verdade. É que uma flor, hoje, não sei... me parece pouco, sabe? Eu entendi que você já comprou, não fique triste. Eu sei que não foi por mal. Não dá pra deixar pra amanhã? Hein? A gente comemora o dia do calendário gregoriano, olha que original. Sim, acabei de dar um Google. Nove de março é o dia internacional do calendário gregoriano. Eu não entendi muito bem o que isso quer dizer, mas a gente podia sair pra comer uma empada de camarão do Jobi, o que você acha? Ou então comemorar a conquista do meu Flu... mesmo você sendo flamenguista. Afinal, foi um jogão, você mesmo admitiu.

    Parece que é também o dia do DJ, se você achar que tem mais a ver. DJ é uma profissão que eu respeito muito. É ele o responsável por você ser feliz ou querer morrer naquela festa de casamento da sua prima com toda a parte da família que mora em Curitiba e que você não vê há duzentos anos... Todo dia é dia de alguma coisa, tem até dia da sogra, e do careca, e do médico ortopedista, e tá tudo certo, tudo ótimo. Todo mundo contém Deus, como diz o Domingos. Oliveira. E isso não foi uma ironia. Mas comemorar, neste momento específico, "não vai estar sendo possível", parafraseando o português exótico das chamadas de telemarketing. Isso foi, tá?, uma ironia...

Porque o Dia da Mulher, esse com maiúscula e que acabou virando desconto em loja, mensagem genérica com frase fofa e fundo florido no seu WhatsApp – isso quando não vira corrente, quando você é obrigado a repassar a "mensagem" bacaninha sob a pena de o céu cair na sua cabeça caso você não o faça – começou com uma greve. Que não foi fofa. Que não foi rosa. Que não foi suficiente. Há mais de cem anos (há controvérsias a respeito dessa data, alguns historiadores falam em 1957, outros em 1909), lá na Nova York do digníssimo presidente #sqn Donald Trump, trabalhadores de uma indústria têxtil fizeram uma paralisação, inédita até então, por melhores condições de trabalho e igualdade de direitos para homens e mulheres. Que trabalhavam dezesseis horas por dia, e lutavam pra trabalhar dez. E eu, ignorante, que só dava crédito pra francesa Simone... de Beauvoir. Que merece todos os louros e foi outra gênia da causa, além de grande escritora, mas essa luta não começou – e principalmente não acabou – nos anos 1970 e na queima de sutiãs.

No Brasil, uma das figuras mais importantes do feminismo, a jurista e bióloga Bertha Lutz, influenciada pela campanha sufragista inglesa – terra de sua mãe –, dedicou toda a sua trajetória aos direitos das minas, e foi a responsável por conquistas como a garantia de emprego para gestantes e o voto feminino, isso em 1932. Bertha foi tão importante e revolucionária que em sua homenagem foi criado, em 2001, pelo Senado Federal, um diploma, o Prêmio Bertha Lutz, que em suas 15 edições até aqui agraciou 75 mulheres que contribuíram na defesa da igualdade de gênero.

Ruth Cardoso, Zilda Arns, Clara Charf, Luiza Erundina, Maria da Penha, Cármen Lúcia, Ellen Gracie, Lya Luft, Elisa Lucinda, Rose Marie Muraro, mais de 70 mulheres já foram homenageadas com a distinção. Mais de 70 mulheres e apenas 1 único homem. Quem? O ilustríssimo ministro do Supremo Marco Aurélio Mello. Marco Aurélio recebeu a homenagem no ano passado, neste mesmo 8 de março, por sua atuação como presidente do Tribunal Superior Eleitoral na campanha publicitária "Mais Mulheres na Política", em 2014. Só que agora, com o episódio do goleiro Bruno... Bom, parece que tecnicamente a soltura procede, já que o sujeito ainda não tinha sido julgado, é réu primário, tem residência fixa etc. e tal. Mas nem tudo na vida é técnica, senhor Marco Aurélio. Há um signo na sua decisão – que era, aliás, pra ser de Teori Zavascki – e, vossa excelência que me desculpe, mas não é um signo feminista. Uma mulher de 25 anos foi cruelmente sequestrada e morta porque queria pensão pra criar seu filho, e nunca ouvi uma palavra desse rapaz sobre arrependimento.

Então, nesse 8 de março de 2017 aqui presente, eu não quero parabéns. Também não quero rosas vermelhas, nem mensagem com frases edificantes. Eu quero a Liniker cantando "Geni" no programa da Fernanda Lima. Eu quero a Dandara dos Santos de volta. Eu quero a Ivete Sangalo na Marquês de Sapucaí, a Lea T na capa das revistas, a Madonna se dizendo uma feminista má, a Emma Stone com a roupa que ela quiser. Eu quero o fim da inacreditável estatística que diz que a cada onze minutos uma mulher é estuprada no Brasil, que os abusos aumentaram 88% nesse último Carnaval, e que a evasão escolar segue altíssima porque 1 em cada 5 crianças no Brasil é filha de uma adolescente que não vai voltar a estudar.

Eu quero a sua mão estendida, companheiro. Um outro tipo de flor. Feminismo não é contra você. É a favor de nós dois. Pra que a gente tenha os mesmos direitos. E possa ir ao maraca na mesma torcida. Tem coragem?

Maria

2017

Caio

Filme: *Ponte aérea* (Julia Rezende)
Música: "Haja o que houver" (Madredeus)

Eu tava em Lisboa. Era junho. Era antes. Era com você. Era do outro jeito. E era a primeira vez. Já tinha tido o céu, as ladeiras, as roupas na janela, o elétrico, o mosteiro, o pastel de nata. Já tínhamos feito compras naqueles armarinhos antigos e visto a casa onde morou o Sá Carneiro. Eu tava entrando na van pra ir a uma premiação de cinema, pensando "que legal, vou conhecer o Luiz Bolognesi e ver o filme dele". Eu tava passando rímel nos cílios de baixo, procurando dois euros pra comprar um chocolate, te achando bonito. Eu tava distraída, essa condição suave da existência de todo dia, espécie de suprafelicidade disfarçada de desatenção, aquele segundo antes das chamadas da vida com maiúscula. E então Ana ligou.

Ana, minha sobrinha-filha de 22 anos, com quem dividi o nascimento dos meus filhos, a morte do meu pai, e o melhor crepe de Nutella de Paris. Ana, meu amor, a grande parceira de toda a minha família, a minha garota de Saquarema que cresceu e virou atriz, mas esse é outro texto e se bobear uma monografia. Só que de dois. De duas. Enfim. Você sabe. Ana ligou e eu não atendi pra não falar no celular no meio de um monte de gente – e também pra não pagar interurbano – e aí ela escreveu. Inês nasceu, tia. Inês nasceu. Tá todo mundo bem.

Alguém nascer e estar todo mundo bem talvez sejam as duas maiores invenções de toda a história da humanidade. E eu chorei. Lembra? Primeiro chorei de alegria, e pensei que meu irmão Otávio tinha mesmo que ser pai, e que emocionante iria ser ver isso, vislumbrei. Depois eu chorei de outro sentimento que não sei definir exatamente qual era, mas que talvez tenha a ver com a Ana ter sido a portadora da notícia da chegada da Inês, uma sobrinha recebendo a outra, a nossa meninice, a minha e a delas, cada uma com a metade da idade da outra. E por fim, chorei porque comecei a discar pra casa do meu pai, 22740830, e só no número 8 lembrei que ele não estaria mais naquele telefone nem em nenhum outro lugar que não dentro de mim, ou de quem quisesse guardá-lo. E aí doeu um pouco, meu pai não conheceria a Inês, sussurrei com a voz de dentro, enquanto você me esperava na van.

Isso foi há três anos. Lembrei do instante em que toda a paisagem muda de filtro porque de volta à capital portuguesa senti uma coisa parecida com a morte do Domingos Montagner e te liguei. A gente não era próximo, Domingos e eu, mas em todas as vezes que conversamos, senti que havia ali a humanidade inteira, e uma simplicidade comovente. Domingos era um palhaço-gato, e acho que essa categoria era única e exclusivamente dele. Puta sacanagem.

Mas agora é o presente. Minha Lisboa é outra, eu sou outra, você não veio comigo, mal nos falamos há um mês, estamos em setembro e a Camila tá viva. Você tá ensaiando uma peça em São Paulo, e nosso filho, aprendendo a ler e a escrever. Inês tem três anos e Ana vai pra Ásia. As ladeiras seguem com casas coloridas e bandeiras estendidas nas sacadas, e, entre um tropeço e outro a gente segue esperando uns telefonemas bonitos, de preferência dizendo que alguém nasceu e "que tá todo mundo bem".

E você, tá bem?
Maria
2016

Ana, Instagram

Filme: *O piano* (Jane Campion)
Música: "Coming Up Roses" (Keira Knightley)

 Ela é minha sobrinha, mas é como se fosse minha filha. Ela é minha sobrinha, mas é como se fosse minha irmã. Ela é minha sobrinha, mas é como se fosse minha mãe. Ela é minha sobrinha, mas é como se fosse minha maior amiga. E ela também é atriz, dorme comigo em hotel bom e em chão de aeroporto, escreve lindo e canta em francês. Te amo, @anaarcm, feliz 23 ! ❤
 2017

Neymar e Bruna

Filme: *Garrincha, alegria do povo* (Joaquim Pedro de
    Andrade)
Música: "Recado" (Rodrigo Maranhão)

Tava 1 a 0. Eu tava feliz, o Bolt tava feliz, meu filho tava feliz. O gol tinha sido de falta, mas às vezes é assim. De falta. Às vezes a gente só chuta com gravidade depois da porrada. Às vezes a raiva é parceira. Às vezes a gente quer se vingar.

Você chutou e a bola entrou, dois anos atrasada. Você chutou com a vida inteira e disse a frase mais linda de toda a história da língua portuguesa: eu tô aqui.

Eu também, Neymar. Desde o 7 a 1. Eu tô aqui e não vou sair. Eu tô aqui e não vou embora. Eu tô aqui e vou até os pênaltis.

Porque às vezes 2 tempos não são suficientes. Porque às vezes o relógio conta as horas de um jogo perdido na infância, e haja assistência pra zerar o placar. Pai, mãe, medo, amor, Deus, cotovelada, Santos, Barcelona, tabelinha, ganhar, perder, perdoar, apanhar, eu tô aqui.

E depois, a Alemanha ainda marcou contra a gente. Ficou 1 a 1, e a pele em carne viva desde 2014. 1 a 1 que não era 1 a 1. 1 a 1 que era 10 a 0, um dia com mil horas e que não passava nunca, como o dia em que me perdi num navio ainda menina, ou que disse palavras duras a quem eu mais queria bem.

Porque toda vez que o Galvão Bueno falava que o jogo de sábado não tinha nada a ver com a Copa, mais eu pensava que tinha. E que você sabia disso, Neymar. Tanto sabia que nos deu a mão, a mesma que não pôde estender antes porque tinha se machucado. Tá tudo bem, agora (sussurro pra você). Passou (sussurro pra mim).

Eu queria te agradecer. Assim como a sua, a minha vida inteira também tava no Maracanã. Caio. Bento. Paulo. João. Quase tudo. Estou deitada no gramado e de bruços, abraçada a todas as pessoas que jogam comigo há mais de setecentos dias, comemorando exausta o instante em que esses 4 rapazes foram 100% felizes por que tem dias que é pra dar tudo certo.

E também, quando não der, não tem problema. Eu também tô aqui. Nos dias bons e nos dias ruins, eu tô aqui. Não pra riscar os nomes na camiseta, mas pra acrescentar. Dois anos, uma Copa, uma Olimpíada, outra vida, se houver, daqui eu não saio. Às vezes 2 tempos não são suficientes.

Maria
2016

Neymar e Bruna, Instagram

Nem Paris St Germain, nem Barcelona. Essa semana eu jantei com essa mina e só posso dizer que o time mais potente da Libertadores é Bruna Futebol Clube, e olha que ela só tem 22. Eu não entendo nada de futebol, e tinha até um pouco de preconceito, mas, cara, essa leonina aí... Bruna, te achei deusa, louca e gênia, como deve ser, mas a próxima vez que você apagar as fotos do Neymar do Instagram, deixo de ser sua amiga. Mesmo a gente não sendo.

2018

Cineide

Filme: *Zelig* **(Woody Allen)**
Música: "Saiba" (Arnaldo Antunes)

Foram quase quatro anos. Tempo suficiente pra uma criança aprender a escrever seu nome, pra uma banda estourar e ser extinta, pra uma salamandra alpina ser gerada e também a duração exata da Primeira Guerra Mundial. Quatro anos. Quatro anos e 1.543 *posts*. 1.543 *posts*, 480 horas ou aproximadamente 39 livros não lidos. Thoreau, filósofo e ensaísta americano do século XIX, dizia que o custo de uma coisa é a quantidade de vida trocada por ela, imediatamente ou a longo prazo. Ainda não fiz as contas, mas agora temo pensar nos 1.460 dias dedicados ao Instagram.

Não preciso ir longe. Neste exato instante, em que poderia estar lendo Paulo Mendes Campos, desenhando com meu filho, ou não fazendo nada, vejo que @cineidesoares deixou de me seguir por conta de um discreto (mais por incertezas ideológicas do que por temperamento, cumpre lembrar) *post* político acerca dos grampos envolvendo o ex-presidente Lula.

Não tenho ídolos desde a adolescência, e mesmo a par e comemorando a mudança histórica que estamos presenciando no país – empreiteiros e parlamentares sendo presos pela primeira vez – desconfio de narrativas com heróis puros e absolutos desde que via He-Man. Penso que uma nação que elegeu o Capitão Nascimento como grande redentor das violências policiais às quais somos submetidos há anos não é exatamente uma nação madura, como vemos no discurso de Cineide.

Para contra-argumentar, minha indignação diante do vale tudo antidemocrático – de ambas as partes – Moro *versus* Lula, a moça diz que sou uma subcelebridade, que meu livro de crônicas é um fiasco e que sou uma atriz regular. @flaviosilva16, que logo descubro ser a mesma @cineidesoares – existe falsidade ideológica no Instagram? – me chama de burra e me acusa de não ser patriota.

Seja bem-vindo às redes sociais no inesquecível mês das águas de Antônio Brasileiro, aquele também marcado por um certo 31 muito triste em 64. Penso que Cineide pode ter razão. O rapaz da portaria do hotel em que hoje resido em São Paulo pergunta se participei do *Qualquer gato vira-lata* – estrelado por Cleo Pires – e às vezes dou autógrafo em nome da Maria Flor. Sou mesmo uma subcelebridade, sem uma única passagem pela Ilha de Caras pra me legitimar.

Também tenho dúvidas quanto à qualidade do meu texto, e volta e meia penso que melhor seria não publicar nada, e sim ler, ler e ler. Mas aí penso na terceira ofensa da Cineide – atriz regular – e chego à conclusão de que tanto o palco quanto a escrita provêm de um mesmo defeito antigo e irremediável, o exibicionismo. Sempre gostei de aparecer, e pelo visto não estou sozinha.

A mesma vaidade que me fazia levantar o dedo na escola pra dizer que sim, eu sabia que verbos intransitivos não precisavam de objetos, me trouxe agora à roda-viva das redes sociais, onde ostento opiniões, trabalhos, filhos e paisagens. Onde sou amada e afagada (e fico feliz, ainda que seja mentira), e odiada e ofendida na mesma proporção.

Acompanhei amigos que moravam longe, vi suas crianças crescerem, vasculhei a vida de inúmeros desconhecidos a partir de semiconhecidos, tomei conhecimento de informações altamente relevantes como "o rosa-quartzo é a cor do ano segundo a paleta Pantone" e descobri que ter coragem de fazer uma *selfie* equivale a sete anos de análise (sem falar que você não aluga ninguém quando quer uma recordação do Corcovado).

Um mundo tolo, o do Instagram. Tolo, raso e violento. Fui feliz, mas não sem regras. Procurei seguir um estatuto que eu mesma criei, como nunca postar pratos de comida ou passagem de avião, jamais ser seguidamente autorreferente (vou dar esse toque pro Papa Francisco, novo no pedaço), e em hipótese alguma desdenhar do passado.

Já vi casamentos serem desfeitos com extrema deselegância, mas o aplicativo criado por Kevin Systrom e pelo brasileiro Mike Krieger tornou o fim do amor um *outdoor* de tristeza nas redes sociais. Nunca alcancei o porquê de se postar uma foto com o novo namorado com a legenda "nunca fui tão feliz". Ser feliz não é felicidade suficiente?

Há o fator utilidade pública. Cachorros desaparecidos, campanhas a favor de doenças, *hashtags* somos todos alguém que não nós mesmos. Eu mesma já me engajei em campanhas de financiamento coletivo e causas ambientais. Mas agora, com o híbrido de *Big Brother* e *House of Cards* que estamos vivendo, vou recolher minha bandeira do Fluminense. Quero conversar de verdade, e de preferência exercitando a interpretação de texto.

Uma pesquisa do departamento de psicologia da Universidade de York, em Toronto, mostrou que internautas narcisistas com baixa autoestima tendem a ser mais ativos nas redes sociais.

Quatro anos. Tempo suficiente pra uma criança escrever seu nome, pra uma banda estourar e ser extinta, e pra exibir um extenso álbum de alguma coisa parecida com a vida, normalmente repleta de dúvidas e sem bandidos e mocinhos no enredo.

Adeus, Cineide.

Maria

2016

Macabéa, Darín, Magnani e Malu Mader

Filme: *O segredo dos seus olhos* (Juan José Campanella)
Música: "Alegre menina" (Djavan)

Quando eu tinha 11 anos, meu pai me pegou na escola e disse que iríamos ver a primeira metade de um filme incrível. "A melhor primeira metade de filme que já vi na vida, filha." Não discuti – até porque tudo dele era sempre "a melhor" – e fomos pra Ipanema naquele cinema que ficava nos fundos de uma galeria na praça Nossa Sra. da Paz.

O filme chamava-se *O último imperador*, do Bernardo Bertolucci, e claro que eu quis ficar até o fim. Desde muito menina percebi que o cinema era o único lugar onde era possível tirar férias de duas horas e ainda assim voltar pra vida sentindo tudo diferente, e não fazia sentido sair no meio do transe. A gente não tinha nada pra fazer depois, a pipoca ainda não tinha chegado na parte doce e eu tava feliz naquela composição sala escura amor de pai. Mas ele quis sair mesmo assim.

Fomos embora com cinquenta minutos de fita. Antes que o filme ficasse triste, ele disse. Antes que eu chorasse, que o menino morresse, que a vida ficasse ruim. Fiquei chateada durante dez minutos e depois achei que talvez ele tivesse razão. Nada de infinito e sentido da existência. Nada doendo.

Muito melhor, por exemplo, do que quando vi, dois anos antes e com a minha mãe, aquele filme da *Macabéa*. Chorei o dia inteiro e o seguinte, nunca mais consegui ouvir o rádio-relógio sem pensar na Clarice Lispector e até hoje tenho raiva do José Dumont por ter deixado a Marcélia Cartaxo.

Lembrei dessa história porque essa semana vi o último filme do ator argentino Ricardo Darín, *Truman*. Ao contrário do esquema do meu pai, aqui você já entra topando com a parte triste: o filme fala de um homem que decide interromper um tratamento contra um câncer incurável. É ir com lenço na bolsa e terapia agendada.

Darín é aquele tipo de intérprete que parece não fazer o menor esforço pra atuar, e pra quem a profissão parece ser a única maneira de dar vazão a tanto sentir. Sempre saio do cinema com a sensação de que ele, de alguma forma, nos ensina a deixar doer, numa espécie de chamado à vida ou autorização do lado B. Foi assim em *Relatos selvagens*, *Um conto chinês* e em toda a sua extensa filmografia.

Aqui ele é Julian, um ator argentino que mora sozinho em Madri com seu cachorro boxer. Com poucos meses de vida pela frente, decide passá-los fora do circuito de hospitais e quimioterapia, o que faz com que seu melhor amigo (Javier Cámara) atravesse o oceano para demovê-lo da ideia.

Nos quatro dias que passam juntos, a dupla frequenta restaurantes e funerárias, médicos e parques, livrarias e casas de candidatos à adoção de Truman, o cão que dá título ao filme. Na melhor sequência do longa, eles vão passar um dia em Amsterdã para uma visita surpresa ao filho de Julian. Todos os momentos são carregados de sentido e gravidade.

Saí do cinema pensando que escolhi como lugar no mundo toda a parte que meu pai evitava – se emocionar e ainda por cima em público – e que, por uma questão de sobrevivência, sempre precisei de dramaturgia pra atravessar as fases duras.

Primeiro, como todas as garotas dos anos 1980, eu quis ser a Lídia Brondi: franja perfeita, Fábio Júnior de par romântico, Baby Consuelo tocando no fundo. Depois mudei pra Malu Mader e virei motoqueira: capacete e jaqueta de couro seriam minha camiseta branca (se eu usasse camiseta branca). E só depois entrei numas com a Andréa Beltrão: humor inteligente, cabelo curto, Jeanne Moreau – só que com 2 surfistas. Tudo na base do empréstimo civilizado, como óculos 3-D e poltrona de avião. Ser e não ser.

A única coisa certa desde a minha mais tenra infância é que eu e meu RG não daríamos conta sozinhos. Não que eu pensasse em ser atriz; até os 12 já tinha cravado na pedra que seria veterinária e decidido inclusive a especialização, mas sempre descansando de mim pelo menos em pensamento – muito chato esse negócio de mesmo nome todo dia.

De lá pra cá desisti de cuidar de bicho e profissionalizei minha vontade primitiva de alternar personalidade, mas nunca me apaixonei por par romântico ou levei personagem pra casa. Pelo menos era isso que eu achava até a semana passada, quando, no meio de uma reunião, vi na TV a notícia de que Umberto Magnani havia morrido. O ator paulista, no ar atualmente na novela *Velho Chico*, teve um AVC enquanto esperava pra gravar.

Tinha 19 anos quando trabalhei com Magnani. Em minha primeira novela, sem saber o que fazer com os braços nem pra onde olhar, percebi imediatamente que aquele pai de mentira era meio de verdade, e que se estivesse em cena perto dele estaria à vontade. Àquela época ainda não sabia que sentiria tanta falta de chamar alguém de pai, mas já pressentia que melhor do que mudar de nome era angariar famílias (a melhor avó que tive na vida não foi nem materna nem paterna, mas roubada de personagem: Yara Cortes).

Às vezes não acho que ser atriz seja uma profissão do tipo profissão, assim uma coisa "de adulto". Respeito mesmo sinto por médico e professor, e admiro também gente que manja de passarinho e de constelação. Mas reconheço no ofício um certo romantismo, ou no mínimo uma boa dose de empatia. Porque pra ser outro há que se olhar em volta, e duvidar de si, e ensaiar mudar. Há também de se gastar o que se é, e oferecer o que se tem.

Num mundo em que, assim como meu pai, todo mundo evita sentir porque "vai que dói...", uma gente que faz disso o seu exercício diário no mínimo torna a vida uma experiência um pouco mais amorosa.

A Macabéas, Daríns e Magnanis, a minha gratidão.

Maria
2016

Mallu Magalhães

Filme: *Frances Ha* (Noah Baumbach)
Música: "Le Temps de L'Amour" (Françoise Hardy)

De cara eu gostei dela. Um ar meio triste, uma coragem displicente – como quando usou em uma premiação sapatilhas de cores diferentes, por exemplo –, uma foto com o olho pintado à la Pablo do Silvio Santos (só que bom) e a quase inconsequência de saber quem se é aos 15 anos de idade. Exatamente. Quinze anos de idade. Tchubaruba. Franja escondendo o rosto. Canções em inglês. Uma profundidade que não era possível na pouca quilometragem. Uma delicadeza de parar pra ficar. Sem pressa. Equação.

Porque era óbvio que tinha um enigma ali. A voz rouca, a meninice, e a doçura eram só a primeira música, uma dica de um disco inteiro a decifrar, frente e verso, e olha que era só o primeiro. Uma garota. Uma cantora *folk*. Um Bob Dylan ali dentro. Timidez. São Paulo. Uma parada da internet (no tempo em que esse fato era digno de nota...). Um clipe gravado na feira, ela vestida de brócolis e atitude *tomboy*. Tudo isso e nada disso.

Sim, porque ela desenha. E também borda, pode incluir aí. Ela gosta de moda. Ela é mãe. Ela é casada com o Marcelo. Ela acorda cedo. Ela mora em Portugal. Ela corre. Ela compõe. Ela toca violão. Ela cozinha. Ela faz balé. Ela compra tecido.

Gosta de supermercado. É gata. Isso, agora. Porque se for pro pretérito perfeito o *bullying* é ainda maior. Ela já gravou com o Tom Zé, e foi gravada por ele (e também pela Gal Costa). Ela tem bicho. Ela é simples. Ela tem o melhor cabelo do mundo, e talvez o melhor coração. E ela tem 24.

A gente se conheceu na piscina do Sete Colinas, aquele hotel gênio lá de Olinda, o da piscina enorme. E por causa dela eu perdi um dia inteiro de filmagem. Era 2012 e eu dirigia um documentário sobre o já extinto Los Hermanos, à ocasião de um daqueles reencontros da banda. Era uma *"situation"*, porque os caras já não eram, digamos assim, muito acessíveis. Mas, como eles avisaram desde o início – que não eram, digamos, muito acessíveis –, eu também não podia reclamar, porque o pacto do namoro foi claro. Mas aí, pra piorar – e pra melhorar –, chegou a Mallu, e todos eles caíram na água, felizes e distraídos, e cadê valentia pra ligar a câmera? Não houve. Mas pelo menos eu me apresentei.

Oi, Mallu, tudo bem? Então, eu sou a Maria, tô fazendo esse filme-missão sobre a banda, muito prazer. Hoje eu não vou nem ligar a câmera, mas será que você vai se importar se por acaso aparecer em alguma cena de camarim ou bastidor? Juro que vai ser uma coisa megadiscreta, porque eu sou mais atriz que diretora, e acho chatão esse negócio de invadir a intimidade dos outros, mas, ao mesmo tempo, a graça do projeto é um pouco essa, senão vai parecer um DVD careta, e etc. e tal... aliás, falando nisso, adorei o Pitanga, seu último CD, nunca tinha te ouvido assim, tipo "todo o disco", e achei sensacional...

E ela: poxa, imagina, brigada, que bom que você gostou, fica tranquila, pode filmar, eu vou até gostar de aparecer. E deu aquela risada pura, de um 19 inteiro em toda a sua falta. Oi? Mas ela não era introspectiva? Frágil? Vulnerável? Não. Quer dizer, não só. Ela era um monte de coisa, quer dizer, ainda é, ainda vai ser, é tudo junto, é um muito pela frente e também pra trás, é um tempo que ela faz de acordo com o dia, com a temperatura, com o prefixo do país, com ou batom vermelho ou a cara limpa.

Fui nos últimos shows já com vontade de escrever alguma coisa. Pensei que vendo essas duas apresentações que ela fez agora no Brasil entenderia um pouco mais do sentimento que a Mallu me causa, e que, como se diz na terrinha, "me enche as medidas". Mas 2 shows não são suficientes. Talvez 100 não sejam. Sabe a Lucia McCartney, do Rubem Fonseca, desesperada pra compreender o José Roberto e suas falas cifradas com perguntas do tipo "o leão é o rei dos animais?". Então... É tipo isso. Meio quê.

Porque uma pessoa de 20 anos que fala que é velha e louca não pode ser a mesma que diz gostar de muitos chocolates só pra ela, e um ser humano que acorda com os raios do sol pra fazer *cooper* (não sei se ainda se diz *cooper*, e também não sei se ainda se diz "se diz", mas enfim) não pode ser o mesmo que escreve que tem o céu de abril pra desentristecer e que será o que sobrar de si sem nada a perder. Não pode. Não combina. Não faz sentido. Não é justo. E é por isso que é tão lindo, e que eu desisti do caminho do córtex.

Porque esse negócio de entender é pra terapia de casal. Eu quero desentender Maria Luiza. John Malkovich do Spike Jonze. Extrassístole. Passarinho forte. Alegria e tristeza. Banda do Mar e "Chega de saudade". Ela sozinha e ela com o Marcelo. Os dois juntos. Os dois juntos e o Fred. O Marcelo que veio dela. O ela que veio dele. Um amor do tipo que quase não existe mais, e que ainda por cima vira música bonita. Às vezes acontece.

Maria
2016

Para mim mesma aos 28

Filme: *A separação* (Asghar Farhadi)
Música: "Conversa de botas batidas" (Los Hermanos)

Maria,
Vinte e oito voltas em torno do sol. Vinte e oito. Retorno de Saturno, não é isso? Então. Bem-vinda. É aqui que você está. Querendo ou não. No Saturnão. Você não sabe direito o que isso quer dizer mas parece que é meio *punk*. Você não manja muito de astrologia, só sabe que é Escorpião com ascendente em Libra e lua em Capricórnio e que agora o céu – seja lá o que isso signifique – vai te dar um dura se você ainda não tiver tido coragem de abandonar a fase 1. O único problema é esse. Que você não sabe. Se abandonou ou não. A fase 1. Pior. Você não sabe nem se houve. A fase 1. Que em tese deveria ter sido mais café com leite. Com mais leite do que café. Com açúcar. Talvez algum chocolate. Se bem que chocolate nunca faltou. Chocolate é a mãe engarrafada.
Você também não sabe se existe isso. De "virar adulto". Porque se existisse mesmo talvez não precisasse de aspas. Mas você desconfia que talvez realmente precise abandonar alguns comportamentos que não seriam, digamos assim, da mesma categoria da proximidade dos 30, como comer bife e batata frita praticamente todo dia, desligar o telefone na cara do seu

pai (mesmo que ele, aos 70, também faça o mesmo eventualmente) e não fazer nenhum exercício físico. Talvez você precise também abandonar os 100 gramas diários de língua de gato. E a dependência da opinião do seu irmão Otávio e do seu primo Zé. E o medo de avião. E o hábito de escrever em cadernos. E o Femproporex. Talvez na verdade você só precise abandonar as aspas. Talvez você precise abandonar quase tudo. Porque o João, o Rosa, aquele que escreveu *Grande Sertão: Veredas* – que você não leu – escreveu também que o que a vida quer da gente é coragem. Talvez você precise de coragem. Talvez você precise ler *Grande sertão: veredas*. Em vez de *Os segredos da encantadora de bebês*, que é o que você está lendo.

Você acabou de ser mãe e de alguma maneira isso lhe deu um sentido definitivo, de forma que mesmo as questões mais difíceis agora têm uns intervalos de sofrência Maiara e Maraisa maiores. O momento em que o Dida pegou seu filho e colocou nos seus braços foi definitivo. Você tinha 27, mas ali o sentido disse "oi". O sentido disse "oi", e tá aqui até hoje. Doze anos depois. Não é pouco. Você é mãe, Maria. Todo o resto importa menos. Obrigada, João.

Maria
2015

Miguel de Almeida

Filme: *Thelma e Louise* (Ridley Scott)
Música: "Formation" (Beyoncé)

Miguel,
Acabei de ler seu artigo "As feminazis e as mulheres do Brasil", publicado ontem, neste mesmo batespaço, neste mesmo jornal, e queria esclarecer 2 ou 3 coisinhas. Ou confundir, pro Tom Zé ficar mais feliz. Olha, Miguel, não sei se você acompanha os números do feminicídio no Brasil. Imagino que sim. Isso sem falar nos estupros, nos salários desiguais, no assédio, na exploração sexual, na jornada tripla. Eu sei, esse papo tá chato, estamos meio monotemáticas. Mas tem tanta coisa chata com as quais a gente tem que conviver, não é? Dentista, por exemplo. Um porre. A violência na Maré. Inadmissível. Não é um assunto agradável, mas meio que não dá pra não falar. Inclusive vai rolar uma manifestação agora no dia 24, você tá convidado. A gente pode ir junto e depois conversar sobre o *Paterson*, último filme do Jim Jarmusch, você viu? Achei gênio.

Eu sei. Tá rolando uma patrulha. Eu mesma já me peguei sendo consideravelmente preconceituosa. Como assim a Juliana Paes vem falar que é feminista de batom? Acontece o seguinte. Bom, você nos chama – nós, as feministas de 2017, de "sem-esmalte". Pois bem. A "sem-esmalte" aqui precisa admitir que você tem certa razão quando fala de despeito. Eu tenho mesmo inveja da Juliana Paes. A mulher já é linda, talentosa, tem aquele corpo, aquele sorriso, aquela leveza, e ainda quer ser engajada? Nananinanão. Não se pode ter tudo nesta vida. Ela que seja linda e não venha dar opinião política (contém alguma ironia, ok?).

Também concordo quando você fala de *apartheid*. De fato. Estamos vivendo uma certa autoafirmação, de modo que às vezes é necessário algum radicalismo.

Quando uma figurinista da Globo de 28 anos toma coragem e escreve um artigo denunciando um ídolo nacional, ela sinaliza pra uma menina de 16, lá do sertão do Piauí, onde o machismo faz a festa ainda mais que aqui nas cidades grandes, que, talvez, quem sabe, uma hora, ela possa ter voz contra um patrão abusador. E ela também sinalizou pra sem-esmalte aqui, acredita? Uma sem-esmalte do Rio de Janeiro e com terceiro grau completo, supostamente forte, que já conta 41 anos inscrita no CPF, e que ainda assim passa por situações do século XVIII, como se sentir constrangida por jantar sozinha em restaurantes com pegada romântica.

Dei um Google em você. Desculpa a minha ignorância – enorme e infinita –, mas eu não te conhecia. Você é um jornalista importante, Miguel. Escreveu livros, é poeta, escreveu sobre o Mario de Andrade, manja de Tunga, trabalhou no *Última hora*, era vizinho e fã do Antonio Candido, foi editor da Ilustrada e do Segundo Caderno. Você deve ser um cara legal. E a questão do feminismo é tão séria e importante que mesmo caras legais como você escrevem tolices.

Desculpa, parceiro, mas dizer que as mulheres brigaram por espaço para se envolver em falcatruas, e usar Adriana Ancelmo e Mônica Moura como exemplo é de uma ingenuidade imensurável. A corrupção é tão democrática quanto a infidelidade, Miguel. E, nesse caso, além de democrática, é machista. Duas mulheres fazendo tabelinha do mal com seus maridos é de uma tristeza shakespeariana. Antes tivessem roubado sozinhas e por conta própria.

Mas volto ao seu texto. Sobre Eleonora Menicucci, socióloga e ex-ministra da Secretaria de Políticas para Mulheres de Dilma Rousseff, que acaba de ser condenada – por uma juíza mulher – a pagar 10 mil reais de danos morais ao "ator" Alexandre Frota por tê-lo chamado de estuprador, você apenas cita a sua decepção (dela, Eleonora) com a falta de sororidade, ou cumplicidade feminina, pra usar um termo menos da moda. Mas você conhece bem a história? Ouviu o sujeito falar na televisão que havia "finalizado uma mulher já desmaiada"? Conhece suas declarações? Por outro lado, você tem razão em questionar a bandeira do gênero nesse caso. Qualquer juiz honrado, homem ou mulher, deveria estar do lado oposto ao es-tu-pra-dor Alexandre Frota.

Enfim. Vou ler seus livros, Miguel. Somos colegas de jornal, sentimos a morte do Antonio Candido, acho que estamos no mesmo time. Te digo, de coração, que precisamos ser mesmo muito feministas porque ainda somos machistas. Não nos desqualifique, companheiro. Releve os exageros e as unhas malfeitas, e amplie o quadro. Também sou fã da beleza, e ela pode ser maior do que você sugere, independendo inclusive de idade, sexo, e atributos óbvios.

Tamo junto, Juliana. Não sou de batom, mas não vivo sem rímel e corretivo.

Maria
2017

Bárbara Paz

Filme: *Cantando na chuva* (Stanley Donen e Gene Kelly)
Música: "Garota de Berlim" (Supla)

Oi, Bá,
Vi o filme ontem, finalmente. Vi o filme ontem, mas antes de falar do filme eu queria te contar que me toquei de uma coisa horrível. Pior do que nunca ter lido *O apanhador* e não gostar de cerveja. Nunca vi *Cantando na chuva*, acredita? Só naqueles clipes do Oscar, sabe? Fiquei pensando que isso é um clássico: algumas obras são tão reverberadas que o cérebro vê sem nunca ter visto, e vão pra nuvem antes mesmo de ser baixado. Uma experiência no HD externo, tipo *poster* da Monalisa ou memória inventada a partir de foto antiga.

Lembro de ouvir do Walter Lima Jr., em um curso de cinema, que o filme devia ser vendido na farmácia, junto com Frontal e Rivotril. Achei a frase de efeito e usei em inúmeras conversas como se fosse minha, mas a verdade é que sempre achei ansiolíticos mais efetivos no caso daquela tristeza bem triste e com nome mais feio. Gente cantando do nada entre um diálogo e outro, juro, só sob efeitos de drogas.

Claro que há exceções. *Dançando no escuro*, do Lars von Trier; *A noviça rebelde*, da minha infância; *Billy Elliot*, e, finalmente, companheira, *Meu amigo hindu*. Não, o filme do seu marido não é um musical, eu sei. Mas pra mim é. E é porque a cena mais linda do filme – e uma das mais emocionantes que já vi na sala escura – é justamente a reprodução literal do sapateado famoso, só que feito com a enorme verdade e pureza da imperfeição.

Você de novo interpretando você mesma me matou de emoção. Você de novo num *Big Brother/Casa dos artistas,* só que agora no cinema, me fez lembrar. Você de novo.

Eu vi o programa na época – era 2001 – e não acreditei. Havia conhecido a Bárbara poucos meses antes, em São Paulo, em uma peça chamada *SubUrbia,* e pro meu cérebro compartimentado ela tinha entrado na categoria atriz de teatro alternativo, um lugar no córtex que não comportava Silvio Santos.

Mas a autenticidade é uma virtude imbatível até em programas *pops,* e ela não só levou o primeiro lugar como teve coragem de se apaixonar ao vivo (eu acompanhei aquele romance como acompanhei o assassinato de Odete Roitman).

Coragem que ela escalou de novo pra fazer *Meu amigo hindu.* Não sei de nenhuma atriz que tenha interpretado o seu próprio papel (até Mia Farrow sendo dirigida pelo marido Woody Allen ganhava nome de personagem), e ainda por cima em outra língua (o filme carrega a árdua missão de ser todo falado em inglês por conta do protagonista, William Dafoe).

O ator americano, aliás, tem uma atuação impecável e é responsável por outra cena memorável, também sem falas: na cama do hospital, em plena overdose de morfina, Dafoe canta "Cheek to cheek" usando o respirador como microfone. A morte estava ali ao lado – em outra grande sacada do filme – e era encarnada pelo gênio Selton Mello. Há inclusive um embate de xadrez à la *O sétimo selo,* do Bergman, no qual o protagonista pede, entre um bispo e uma rainha, mais tempo por aqui, exatamente porque precisava fazer mais um filme. Este.

Li em alguma entrevista que o Héctor se recusa a classificar o filme como autobiográfico. De certa forma acho mesmo que até os documentários que mais se aproximam do chamado cinema-direto são sempre manipulados, e não conheço a história do cineasta argentino a ponto de contestá-lo. Mas eu achei bonito que a Bárbara tenha de alguma forma feito seu segundo *reality show*.

Uma das melhores partes da profissão de atriz é poder descansar de si. Ser é uma coisa que cansa tanto, que morro de inveja de quem não sabe RG e CPF de cor. Ao mesmo tempo, a verdade é uma supra Janete Clair, e é por isso que os *reality shows* não devem nos deixar tão cedo.

Sem desmerecer a dramaturgia – e, aliás, você tá arrebentando em *A regra do jogo*, vi outro dia a novela, que todo mundo detona, e achei ótima –, caio de 4 quando sei que é a vida das pessoas que tá passando no cinema ou na TV. Domingos Oliveira, o já citado Woody Allen, John Cassavetes, amo essa gente autorreferente. Viva a *egotrip* institucionalizada.

Pois bem, babe. Você apareceu pro mundo contando sua vida de heroína de drama russo – perdeu o pai e a mãe ainda criança e sofreu um grave acidente de carro que a deixou com marcas no rosto – e conquistou milhares de espectadores. Depois disso, teve atuações marcantes em peças como *Hell* e *Vênus em Visom* e em meia dúzia de novelas.

Mas agora surgiu em *Meu amigo hindu* cantando de camisola na chuva pra um homem que amou, e a quem queria fazer feliz. Homem esse que, ao ver a cena, cinco anos atrás, numa praia, disse que esse seria o final do seu próximo filme

– você nua fazendo Gene Kelly – e que não poderia morrer sem fazê-lo.

Maria

2016

Bárbara Paz, Instagram

Eu a conheci no palco fazendo *SubUrbia*. Isso em 2000. Ela era amiga do @marcelorubenspaiva e eu tava querendo dirigir um curta, esse da foto – 25. Eu queria ser *cool*. Aí ela foi pra *Casa dos artistas* – que tinha uma trilha gênia e eu amava –, depois fez uma novela mexicana chamada *Marissol*, e quando eu lancei o filme em Gramado ela era a pessoa mais famosa do Brasil, quando eu queria que a gente só fosse "alternativa" e do teatro... rsrs. Aí depois ela foi pra Globo, e casou com um cineasta mais velho e todo inteligente, e começou a usar umas roupas chiques e a ficar amiga de intelectuais... Ela, que só usava couro... aí agora ela tá dirigindo um *doc.* lindo de morrer e tá toda "cabeça"... e eu querendo ser famosa e usar calça justa... e ainda teve Gramado de novo, quinze anos depois, e ganhei melhor atriz e ela era júri e ficou uma semana sem falar comigo "porque não podia", mesmo eu tendo passado pra ela o tel. da minha analista, o que é quase um pacto de sangue. E hoje ela faz aniversário e eu queria dizer que tô aqui sempre, não importa onde a gente esteja e nem a roupa e nem a fase e nem o *boy* e nem o trabalho. Parabéns, minha gaúcha, te amo!!! @barbararaquelpaz ❤❤❤

2017

Felipe Hirsch

Filme: *Severina* (Felipe Hirsch)
Música: "Tuyo" (Rodrigo Amarante)

É domingo. Em São Paulo, sentada na plateia da última peça do diretor Felipe Hirsch, A *tragédia latino-americana*, confiro o Twitter e logo cessam os aplausos. 367x146. Eu já sabia. Todo mundo já sabia. Mas, ao contrário dos meus amigos e de grande parte dos brasileiros, decidi não ver no sofá o drama do Congresso, onde os atores são péssimos e o som ambiente, da pior qualidade. Vi a presidente cair dentro do melhor Brasil que existe, um Brasil que recria a sua história para então produzir outra, um Brasil de grandes escritores e centros culturais acessíveis. Quem dera estivéssemos todos no teatro – e não em frente à TV – neste histórico 17 de abril.

Um cabaré tropical: assim se autodenomina o novo espetáculo do diretor curitibano. Enquanto adentrava o Sesc Consolação, às 18 horas, placar ainda 16x6, os atores saudavam os convidados especiais daquela noite: Padre Anchieta (que ensinou os índios a pensar como nós, como bem disse Júlia Lemmertz), família Sarney, Paulo Maluf, Collor e Zélia, Bolsonaro, Martha Suplicy, Cunha, Temer, José Dirceu, Tuma e Tuminha, Garotinho e Garotinha, Coronel Ubiratan – que comandou o massacre do Carandiru – e um nome que viria a ocupar toda a madrugada seguinte: Brilhante Ustra.

No texto do cubano Cabrera Infante, anuncia-se uma viagem musical ao Brasil, na qual veremos de Lima Barreto à "segunda carta" de Pero Vaz de Caminha; de uma epígrafe personificada (texto de Samuel Rawet) à história de amor mais comovente dos últimos tempos (Selma e Tiago, de Marcelo Quintanilha). Tudo isso embalado por uma gravíssima e exata banda ao vivo. São 7 músicos incluindo o compositor Arthur de Faria. A vida é cheia de som e fúria.

Bem-vindos ao Monte Pascoal, à Vera Cruz, ou a um Brasil de blocos de isopor. Os 98 retângulos brancos do cenário de Daniela Thomas e Felipe Tassara poderiam sozinhos traduzir a construção e a desconstrução dos nossos dias. Ora edificações, ora abismo, são escolas ocupadas e bancadas ruralistas, democracia e barbárie, eixo e avalanche, desesperança e utopia. Nossa identidade ainda é leve e porosa, neve falsa, palavras em inglês.

Na tragédia latino-americana propriamente dita, deputados homofóbicos xingam colegas dentro de um Congresso que deveria clamar por justiça e igualdade, o presidente da Câmara responde por processos na Lava Jato, e congressistas levam seus filhos pra votar em seu lugar. Sinhô e sinhozinho em versão remix, eis a nossa querida *Terra Brasilis*, onde as palavras "Deus" e "mulher" são mais desperdiçadas do que "Garota de Ipanema" em restaurante gringo.

O Brasil de Felipe Hirsch é triste e bonito, singelo e cruel, amoroso e maldito, mas é, antes de tudo, e principalmente, espelho. Somos pedaços inacabados, arremedos de outros continentes, um livro de contos irregulares. Somos inclusive os 513 discursos da votação do impedimento, ou 100% má dramaturgia.

Não chegamos até aqui sozinhos, embora Freud recomende um certo "tempo limite" para acusar o passado. Vendo Caco Ciocler e sua espetacular carta número 2, de Reinaldo Moraes, voltamos a 1500 mas também a 2016, já que sem reforma política continuaremos elegendo os mesmos canastrões de domingo, que, assim como nossos digníssimos colonizadores, desconhecem a noção de bem comum. *Não Acabou Chorare*.

Os sotaques na *Tragédia* são muitos. Em seus 11 integrantes – intitulados Ultralíricos – há atores cariocas, paulistanos, brasilienses, pernambucanos, e até argentinos, incluindo Javier Drolas, protagonista do genial *Medianeras*.

Já no hotel, ligo a TV e vejo os melhores piores momentos da votação. Chego à conclusão de que a partir de agora devemos investigar a composição familiar de cada deputado, dando preferência a solteiros e ateus. Lembro, então, de Jean-Paul Sartre e do manifesto antifamília que só agora faz sentido pra mim: "nós, que dormimos tarde, bebemos muito, trocamos nossas mulheres e não conseguimos cumprir nossos compromissos, nós somos loucos. Vocês, que respeitam a rotina, obedecem às leis, mantém seus casamentos e protegem seus bens, vocês são nojentos". Depois de domingo virei contra a família. Quem me libertará da ditadura dos justos?

Talvez os artistas. Magali Biff, Georgette Fadel, Nataly Rocha, Pedro Wagner, Camila Márdila, Danilo Grangheia, Inés Efron. Quem dera estivéssemos todos no teatro – e não em frente à TV – nesse histórico 17 de abril.

Enquanto nos agradecimentos Guilherme Weber dedicava a última sessão da temporada paulistana ao ator Renato Borghi e seu revolucionário *Rei da vela*, Bolsonaro reverenciava um personagem hediondo da nossa ditadura, único militar brasileiro a ser reconhecido como torturador pela justiça. Weber disse qualquer coisa sobre o privilégio de podermos pisar os palcos e dizer o que quiséssemos. Estamos em 1500, em 2016, em 1964. Estamos no Cabaré Tropicana.

É melhor cantar, porque hoje é quarta, mas é domingo.

É melhor cantar porque ainda vai ser domingo por muito tempo.

Maria
2016

Debora Bloch

Filme: *À deriva* (Heitor Dhalia)
Música: "Bete Balanço" (Barão Vermelho)

Pessoas são salvas por pessoas. Saí do Teatro Poeira com essa frase ecoando no peito e agradecendo em pensamento a toda a cadeia de seres humanos que me permitiu ouvi-la naquele último dia de janeiro: Will Eno e Guilherme Weber, respectivamente autor e diretor da peça, Debora Bloch, produtora do espetáculo, passando por todos os filhos de Deus que criaram o Waze e me salvaram dos 42 blocos que ocupavam o Rio de Janeiro naquele último domingo de janeiro. Minha folia se deu no quintal do cemitério São João Batista, e, Evoé Momo!, ninguém foi mais feliz que eu.

Pessoas são salvas por pessoas. Parece óbvio. Mas às vezes a gente esquece. Esquece que teve uma professora de literatura que um dia escreveu no quadro-negro um poema do Manuel Bandeira que terminava com "te amo como se ama um passarinho morto", e que aquelas palavras deram sentido e entendimento pra garota de 8 anos que agora tinha 2 casas – só que isso não era bom.

Esquece que uns seis anos depois, à época da primeira mudança de endereço, essa garota ganhou do irmão um labrador com nome de filósofo chinês e o disco Trem das Cores, do Caetano, e que, tanto um quanto o outro, suavizaram a incompreensão (sentida até hoje) de o amor não ser obrigatoriamente uma coisa sempre recíproca e que nunca acaba.

Esquece que aos 19 ela conheceu um diretor de teatro que a chamou pra uma leitura na casa dele, e que ao ouvir o texto da peça – autobiográfico – ela percebeu 3 coisas importantíssimas e redentoras. A primeira é que as coisas que sentimos podiam virar uma historinha. A segunda é que não era só a gente que sentia aquelas coisas. E a terceira é que aquelas coisas que antes pareciam tristes ficavam bonitas e até um pouco engraçadas se soubermos dizê-las.

É o que tento fazer agora. Não quero esquecer que mal recuperada da tríade Natal-Réveillon-Carnaval – tudo isso sublinhado em vermelho pela temperatura escaldante –, vi uma peça na qual os personagens me deram a mão com a potência e a leveza de um recém-nascido, e que fiquei feliz como quem tem pai e mãe porque em duas horas me senti entre amigos da vida toda, tipo paz de Cristo ou arquibancada de time.

Porque se até a Mariana Lima – que parece tão bem resolvida com aquela pinta na boca e aquele histórico de atriz do Antônio Araújo – às vezes não sabe como fazer pra conversar com o cônjuge, então tudo bem ninguém saber, não é mesmo? Mariana, no caso, personagem.

Pessoas são salvas por pessoas. No *Bateau mouche*, 1 único pescador resgatou 30 náufragos. No incêndio da boate Kiss, 1 estudante salvou 14 universitários. Minha avó dizia que devia tudo a Dostoiévski e ao inventor do cristal japonês. E eu fui salva do verão por uma peça de teatro na qual os personagens – meio contentes e meio tristes, meio legais e meio egoístas, meio com medo e meio com coragem – me lembraram que a qualquer momento tudo pode ficar diferente só porque alguém te mostrou uma frase simples.

João, José, Júlia e Pônei são *Os realistas*. Eles têm o mesmo sobrenome: Silva. Eles têm medo de morrer, de ficar sozinhos, de não serem amados, de falar a verdade, do silêncio. Além de Mariana e Débora – gênias –, o elenco ainda conta com Emilio de Mello e Fernando Eiras, dupla eterna e inesquecível do espetáculo *In on it*, de Daniel Macivor (e pra quem não viu, vale ler o texto, aqui editado pela Cobogó).

Os 4 atores contam a história de 2 casais vizinhos que têm suas vidas transformadas uns pelos outros. Transformadas é exagero. Não há nenhum grande acontecimento – ao mesmo tempo em que não há no mundo acontecimento maior do que uma pessoa nova. Pônei e José chegam à pequena cidade campestre onde moram João e Júlia. A vida dos 4 parece, e é, prosaica: ir ao mercado, escolher os copos certos para o vinho, ter empregos do tipo consertar ar-condicionado ou fazer cartões comemorativos, tomar uma cerveja ao fim de um dia de trabalho, ser casado, olhar o céu, achar a vida boa, achar a vida ruim. Eu marquei um x em todos os itens.

O autor, o americano Will Eno (indicado ao Pulitzer e que aqui já havia sido montado por Felipe Hirsch, Guilherme Weber e Murilo Hauser), é frequentemente comparado a Beckett e discípulo de Albee, mas, a despeito da acidez que os une, há uma delicadeza do tipo mão estendida que há muito não via no teatro.

Estreia do autor na Broadway, *Os realistas* é de uma dramaturgia "gentil", de idas a farmácias e a laboratórios e não a hospitais, de pensamentos ditos pela metade, de personagens rindo quando estão tristes, de geladeiras abertas com comidas vencidas e cadeiras de praia estendidas sob a noite, de frases como "eu gostaria de ser uma pessoa mais do tipo ao ar livre, sabe?", e de amores nublados.

Uma gente errada e angustiada, mas sem profundidade-ostentação.

Pessoas são salvas por pessoas.

E eu que achava que não tinha um bloco...

Maria

2016

Matheus, Sophie e Alice

Filme: *Tudo pode dar certo* (Woody Allen)
Música: "Whisky a Go-Go" (Roupa Nova)

Pode ter sido o lençol do Batman, os *posters* do Wes Anderson, ou a música do Roupa Nova no *repeat*. Não sei. Também pode ter a ver com usar moletom. Ou com gostar de batata frita. Ou com considerar que "ir pra *night*" é igual a "ir ao cinema" e depois voltar pra casa, de preferência antes da meia-noite pra ver mais um episódio de *The crown* debaixo do cobertor. Pode ter a ver com continuar gostando igualzinho de Paris (mesmo com tanto lugar exótico pra postar no Instagram e configurar a desbravadora *cool* que conhece todos os vilarejos charmosos do Tibete). E com uma certa imaturidade (e/ou nostalgia), que, dependendo da medida, pode ser delicadamente cômica ou absolutamente patética.

Também não posso não mencionar a obsessão por farmácias. E a emoção genuína que me provocou aquela cantada do antialérgico. Bula é amor, minha gente. Assim como a comunhão provocada pelo *Play Station* com dois jogadores. *Off-line*. Que também não pode faltar na lista. A cumplicidade máxima de passar junto uma fase do *videogame*. De abrir um mundo, zerar um jogo, falar uma língua que ninguém mais entende. Pode ter sido isso também. Ou a parada do melhor amigo. Enfim. Não importa. Foram vários os motivos da rendição, e já não sei identificar o instante específico-mágico-e-iluminado da constatação da irmandade. Do resultado positivo do teste de DNA. Do quentinho no coração. Eu só sei que de repente, desavisada e dentro de uma sala escura do Cinemark do Downtown, eu descobri com alegria e gratidão que a vida é boa e que não sou sozinha no mundo, mesmo estando naquele cenário *Show de Truman* que é o shopping em questão.

Vai ver foi tudo junto. Vai ver foi cada coisa separada. Vai ver foram as locações familiares. Ou a herança clara do Domingos Oliveira. Vai ver é o tal do pertencimento. Sim, pertencimento. Não é uma palavra da moda? Então. #somostodos. Identificação. Espelho. Aldeia. Galera. Turma. Aquela gente que se reconhece por uma miudeza romântica, como ter um Yoda na estante, gostar do biscoito maizena com a embalagem vermelha ou torcer pro São Bento, de Sorocaba.

A verdadeira paz de espírito é saber – silenciosamente – que apesar de toda a vastidão do tempo e do universo, há outro ser humano na Terra que, milagrosamente, assim como você, também percebe a superioridade inquestionável da Mentos tutti frutti sobre o sabor tradicional de hortelã. Ou de *Poderoso chefão 2* sobre *O poderoso chefão 1*. Ou do Bill Murray sobre todos os outros atores americanos. É tipo um time que fica dentro, o travesseiro de casa, o Alfredo do Bar Lagoa. Um misto de amigo imaginário com dupla de vôlei com a voz da Scarlett Johansson naquele filme do Spike Jonze. Que o Joaquin Phoenix não tá sozinho, mas fica meio com vergonha por ter uma namorada assim, digamos, um pouco fora do padrão. Um sentimento de mãos dadas mesmo quando se está sozinho. Sensação de Rivotril no bolso 24 horas por dia. De mãe da infância. Um cruzamento de respostas comuns que nunca mais vai te fazer errar de namorado.

Sabe de cor as falas do *Noivo neurótico, noiva nervosa*? Viu *Barry Lyndon* mais de uma vez e sempre chora como se nunca tivesse visto? Nunca se recuperou do Jean-Pierre Léaud ter envelhecido? Sonha com a oportunidade de dizer o discurso do Rocky Balboa como se fosse seu? Conhece as propriedades do glúten tanto quanto os variados tipos de reprodução assexuada, ou seja, nada? Está com o Woody Allen e não com a Mia Farrow? Tem o DVD do *Houve uma vez dois verões*? Prazer, você acaba de ser classificado como mais um raro *Homo sapiens* integrante do pequeno planeta Matheus Souza. Faça o cadastro, apanhe seu *nugget* e vá ver o filme dele. Juro que você não vai se arrepender.

Não conhece o rapaz? Normal. É um planeta, quer dizer, um diretor, muito jovem mesmo. Apesar da pegada anos 1960, o garoto tem só 28 anos. Nem chegou no retorno de Saturno... Mas talvez você tenha visto *Apenas o fim*, aquele filme com o Gregório Duvivier e a Erika Mader que foi todo rodado na PUC e que custou 3 cruzeiros. E que é lindo. Ou *Eu não faço a menor ideia do que eu tô fazendo com a minha vida*, com a gênia da Clarice Falcão. Os dois filmes são dele. E agora tá em cartaz o terceiro, o divertidíssimo e autoral *TamoJunto*.

Pode ter sido a Sophie Charlotte, atual musa do cinema nacional, também em cartaz com *Barata Ribeiro, 716* – imperdível e obrigatório. Também pode ter a ver com a Alice Wegmann, o olhar mais doce que vi na tela grande nos últimos tempos. Ou com o Leandro Soares, que eu não conhecia e virei fã. Ou com a presença do Jerry Lewis na atuação do Matheus. Não sei.

Eu só sei que há muito tempo eu não via um filme jovem, e pode considerar esse jovem entre aspas – uma vez que já tenho 4.1 –, tão de verdade. Junto com *Ponte aérea*, da Julia Rezende, refiz meus laços com as comédias nacionais, amor estabelecido com Jorge Furtado nos anos 1990.

Mas é claro que pode ter sido o lençol do Batman.

Maria
2016

Mãe

Filme: *Minha bela dama* (George Cukor)
Música: "Oração ao tempo" (Caetano Veloso/Maria Gadú)

Quando eu nasci você tinha a minha idade, já era mãe de 3 filhos adolescentes, e tava casada há quinze anos. Com 39 você também tinha um morto, que era o seu irmão Ivan, de quem você falava a toda hora, acho que pra não esquecer.

Você tinha uma cidade, Curitiba, e sempre contava do colégio de freiras e dos primos paranaenses. Eu achava chato viajar pra tão longe nas férias, mas você ficava tão feliz que eu acabava gostando. Além disso, você era bonita e tocava piano, fazia Faculdade de Letras e jogava tênis com aquelas saias Tenenbaum.

E você era minha mãe.

Ser minha mãe quer dizer que eu era totalmente apaixonada por você. E queria ser igual. Quer dizer, igual não ia dar pra ser porque você era loura. E também porque você era calma. E tinha o sotaque. Mas eu queria ter aquele banheiro com a pia cheia de perfumes e aqueles rolos de cabelo que esquentavam numa maquininha. Eu queria o seu cabelo claro e a sua delicadeza.

A gente foi indo assim meio juntas até que o meu pai saiu de casa e as coisas deram uma desandada. É claro que isso eu só percebi muito tempo depois. Mas hoje eu vejo que a história de nós 4 se divide entre antes e depois daquele dia em que vocês foram conversar no quarto e não me deixaram entrar porque eu era criança. Como se eu já não soubesse o que vocês iam falar.

Foi muito triste não poder mais acordar meu pai com as torradas na bandeja e ver ele sair pra cidade. Ele falava assim: tô atrasado pra cidade. Eu achava que ele ia pra Gotham City. E esperava ansiosa ele voltar pra jogar Atari comigo ou colar figurinhas.

Mas vocês decidiram mesmo se separar. E se eu fiquei chateada, você deve ter ficado muito mais. Você ficou magra, e não era um magra bom. Mas depois você arranjou um namorado e eu o achei legal. A gente passou a ir pra Búzios e a vida ficou meio diferente. A essa altura, meus irmãos já eram adultos e cada um foi pra um país, mas nós ficamos juntas. Nós duas e a Bel.

Depois o seu namorado morreu e você ficou triste, mas aí a gente tava mais forte. Você parou de comprar roupa e ficava lendo à tarde, e eu mudei de colégio e fiz uma turma de amigas da pesada, então eu sempre me defendi. Logo você casou com o padrasto mais incrível desse mundo, que sempre te tratou como rainha, e ainda por cima nos fazia jantar em francês.

Isso já tem vinte anos. Nesse tempo eu tratei de ficar adulta, fiz minha própria família e a gente ficou mais longe. Mas a verdade, mãe, é que eu sempre quis ficar mais perto. Desde pequena. Então isso é meio que um convite. E também uma intimação.

Porque agora você deu pra ficar triste sem parar. Ontem eu te perguntei há quanto tempo você não chorava e você disse uns trinta anos. E isso não tá bom, não. Tudo bem que eu não sou referência. Lembra quando a gente viu *A hora da estrela*? Eu chorei tanto com a Macabéa que fiquei com raiva de você.

Mas eu lembro que você me levava ao cinema e ficava traduzindo os filmes baixinho, e a sua voz tinha um amor que eu nunca esqueci. Também guardo firme na memória o dia em que você me levou a um baile de Carnaval em outra cidade, e a gente pegou o maior trânsito, umas cinco horas no carro. Lembro ainda das nossas idas ao Barra Shopping pra ir à única loja de que eu gostava. E de quando você foi comigo pra Friburgo me fazer companhia na estrada e dormimos juntas em um hotel do Sesc. Eu tinha teatro e não queria viajar sozinha, e você veio ficar comigo.

E agora sou eu que quero te acompanhar. Pode ser uma viagem pra Friburgo, pra Nova York ou pro Shopping da Gávea.

Eu vim ficar com você, mãe.

Maria
2015

Mãe 2

Mãe,

Antes de mais nada, feliz aniversário! Oitenta, mãe! Oitenta! Sei que não deve ser fácil chegar tão longe. Ao mesmo tempo, que vida bonita você teve, não foi? E ainda não acabou. Queria te propor este diário. Queria te conhecer melhor. Às vezes escrevendo é mais fácil. Queria te propor de a gente ficar mais perto. Escreve pra mim? Escreve pra você? Escreve pra gente publicar, quem sabe? Nossa relação não foi das mais fáceis, mas eu nunca deixei de te amar muito e o tempo todo. Tomara que você me ame também. Acho que você me ama. Obrigada por ter me levado naquele baile em Petrópolis. Obrigada por ter me incentivado a escrever. Obrigada por ter me mostrado *My fair lady*! Você tá sendo muito corajosa nesses últimos tempos. Sinto orgulho, mas quero que você saiba que não está sozinha e que não vai passar por dificuldades financeiras. Vou cuidar de você, tá? Exatamente como você cuidou de mim.

    Com amor,
    Maria.

Tiago

Filme: *Menino do Rio* (Antônio Calmon)
Música: "Errare Humanum Est" (Jorge Ben Jor)

Tiago,
Sua nuca está na minha frente e atrapalha a palestra. Eu cheguei antes, quero ouvir sobre a Inquisição, sua nuca me desconcentra.

Você podia ser só um colega de curso, seria melhor que fosse, talvez sua nuca me perturbasse menos. Eu poderia olhar pra você nestes quinze dias e ficar imaginando o seu nome, o seu jeito, a sua voz, o seu tipo de cantada.

Você também me notaria – sei que faço o seu tipo – e seria bem *blasé* pra chamar minha atenção. A gente se encontraria um dia no BB Lanches ali do Baixo Leblon, e, depois de me olhar duas vezes e desviar uma, você me perguntaria, falando baixo e como quem não quer nada, "não te conheço do curso do descobrimento?", alongando o *s* com aquele som de *x* de quem passou a vida em Santa Teresa.

Mas já nos conhecemos. Sei que o seu nome não tem *h*, que você morou em Búzios uma época com a sua mãe, e que você manda um beijo fazendo o barulhinho do beijo na hora de se despedir no telefone. Sei também que nada disso voltaria agora à minha memória não fosse a sua nuca na minha frente.

E que você tá assoando o nariz daquele jeito que eu gosto só pra me provocar, porque uma vez eu te disse que tinha uma queda por alérgicos e você achou meio fofo e meio engraçado.

A questão é: quando a gente se conheceu, você era cabeludo. Portanto, neste momento em que o Adauto Novaes explica xxxxxxxxx, a sua nuca, mais do que uma surpresa, é uma tremenda duma falta de respeito. Como é que você senta com essa nuca bem na frente da minha boca assim sem avisar?

Ok. Entendi. Não mereço a sua consideração. É isso que você está dizendo sentado aqui. Mas será que você seria capaz de me perdoar? Hein? Tomar que sim, porque eu não sou. Capaz. De te perdoar. Porque nada do que eu possa ter feito – nada – justifica vingança tão calculada quanto esta nuca. Aliás, se você estivesse com o seu pai (e você com o seu pai é a coisa mais linda...), eu te pediria, quem sabe até gentilmente, que mudasse de lugar. Afinal, você chegou depois e o auditório do MEC é tudo menos pequeno.

E como hoje meu namorado não pode vir, você, pela primeira vez, me acenou com um pouco mais de simpatia, além de ter sentado na minha frente. E você tem uma nuca linda e ensolarada que estreia para os meus olhos numa palestra sobre Inquisição. Uma palestra interessante, que eu faço força pra prestar atenção. Mas sua nuca está na minha frente.

Maria
1997

Tony Ramos

Filme: *Bufo & Spallanzani* (Flávio Ramos Tambellini)
Música: "Hey Jude" (Beatles)

Caro Tony,

Desde que o Paulinho da Viola compôs "Dança da solidão" – e isso foi em 1972 – que tento, a cada dia que passa, me tornar um ser humano menos romântico. Ok, o amor acaba. Não sei se na terça-feira do Paulo Mendes Campos ou no protocolo rígido da realeza britânica, mas certamente numa sexta-feira de operação Carne Fraca. Vitamina C dá câncer? Ok, abandonarei a efervescência. A paçoca é o novo cigarro? Ok, voltarei para a bala boneco. O frango e a carne estão na berlinda? Ok, investirei em ovos caipiras. Febre amarela, ministros na lista da Odebrecht, crianças fazendo *selfies* com o goleiro Bruno, Arlindo Cruz na UTI, Nutella com sei lá o quê, todo dia é um amadurecer sem fim, e me orgulho (muitas vezes no Instagram, desculpa aeee...) de estar passando nas provas.

Já digeri o Michel e a Marcela, Papai Noel e Coelho da Páscoa, separação e perda de pai, Fátima e William, Brad e Angelina, Leandro e Leonardo, Claudinho e Bochecha, Trump e *La la land*. Já não acredito na amizade das bandas de rock, nem no Lula e nem no Moro, e tampouco creio na pureza do glúten e da lactose. Há muito desisti da Igreja Católica e de qualquer instituição que se autoproclame a única via, e já me conformei com glutamato monossódico e adjunto adverbial de tempo. Me comunico por emojis e estou aberta a críticas e discussões políticas sobre legalização da maconha, crise econômica e reforma da previdência. Só não me venham falar de você!

 Desde que peguei a faixa roxa, há mais ou menos três anos – e isso é uma metáfora –, decidi fazer, de cada tombo, uma queda ostentação, *Kill Bill* passando ao fundo. Tudo bem que ainda preciso de um kit pesado (amigos + análise + ansiolíticos + chocolate + música + dramaturgia), mas tenho levantado cada vez mais bonita. Como uma karateca em ascensão, aprendi golpes sobre tempo e silêncio, e juro que aqui apresento minha versão 7S – à prova de chuva e amigos covardes – mas Tony Ramos é Tony Ramos e eu não vou ficar quieta.

 Eu era criança, comia bala Juquinha com papel, e você já tava lá. Fez par romântico com Fernanda Torres, Patrícia Pillar, Vera Fisher, Debora Bloch, Maitê Proença, Cássia Kis Magro, Eliane Giardini, Suzana Vieira, e tá há quase cinquenta anos casado com a Lidiane. Nunca recusou autógrafo ou foto com fã. Nunca disse que "tinha incompatibilidade de agenda", "esgotamento por excesso de trabalho", "esse personagem foi um presente", ou qualquer expressão deprimente do tipo. Nunca furou fila de restaurante por ser artista. Elogiou o mar abrindo na concorrência. Sempre deu risada de si mesmo – e aliás, faz comédia como ninguém – e nunca serviu de pauta pra revista de fofoca. Você dirá, caro leitor, ou cara leitora: não fez mais do que a obrigação. E eu direi: com certeza. Mas não é o que se vê por aí, e olha que só gosto de elogiar pelas costas. Mas tenho a impressão de que você, Tony, é realmente um sujeito bacana, desses que quase não existem mais, e não há de ser um Friboi vencido que maculará nossa história de amor. Por mais unilateral que seja.

Não vai aí nenhuma espécie de coleguismo, até porque nunca trabalhamos juntos. Acho inclusive que não seríamos felizes, imagino que você não fale mal de ninguém e esteja sempre de bom humor, coisas que já considero imperdoáveis separadamente, imagine juntas. Sem falar que ídolo bom é ídolo longe. Mas esse linchamento de artistas, além de mascarar as questões que realmente importam, como o agronegócio, a bancada ruralista e a promiscuidade dos fiscais do Ministério da Agricultura, Pecuária e Abastecimento, diz muito sobre um Brasil que há anos deixa de lado a cultura e a educação.

Chico Buarque, Wagner Moura, José de Abreu, Raduan Nassar: todos foram recentemente questionados por seus ataques ao governo Temer e ao uso da Lei Rouanet em seus projetos culturais. Como se as duas coisas não pudessem conviver, e, pior, como se houvesse um ódio primitivo de uma parcela da população contra quem trabalha com arte. Eu falei trabalha. Porque pode até não parecer – e a gente fica feliz quando não parece, porque a ideia é justamente buscar uma transcendência –, mas quando escuto uma música do Paulinho da Viola ou leio um romance do Chico, sei que quase nada ali tem a ver com inspiração. É suor, *pipol*. Dá trabalho. Mas sem isso não há oxigênio que dê conta. Quer ver?

Ontem, antes de dormir, meu filho de 7 anos me perguntou se era normal ter medo do futuro. Ainda se recuperando da morte do peixe Gloob, disse que estava quase chorando mas iria tentar ficar no "quase". Enquanto o quase decidia pra onde evoluir, fomos ler um Ziraldo antigo, *O planeta Lilás*. Porque contra a morte de peixes e humanos, e contra desilusões em geral, não há nada como um livro, um filme, uma música ou uma novela. Bento dormiu feliz, assim como eu, que em seguida revi *Todas as mulheres do mundo* pela enésima vez.

E antes que eu me esqueça: essa semana Paulo José completou 80 anos. Obrigada, Paulo, pela ilusão concedida em filme tão lindo. Obrigada, Tony, por tantas ilusões concedidas na TV aqui de casa. Minha condição existencial, frágil e vulnerável, como as carnes bovinas, agradece.

Maria
2017

Rafaela Silva

Filme: *Touro indomável* (Martin Scorsese)
Música: "O meu guri" (Chico Buarque)

Um ouro que fica dentro.
Hoje é segunda-feira pra mim e quarta-feira pra você. Hoje é segunda-feira pra mim, quarta-feira pra você e um dia pra sempre pra Rafaela Silva. Oito de agosto de 2016. Um dia que mudou tudo, pra trás e pra frente, tipo o 16 de julho de 1950 do Barbosa ou o 28 de agosto de 2004 do Vanderlei Cordeiro de Lima, só que bom. Às vezes acontece.
Uma Olimpíada é cheia de dias pra sempre, tanto pra quem ganha quanto pra quem perde, mas pra algumas pessoas é um pouco mais "pra sempre" do que pra outras. Tem ouro que vale mais que ouro.
O carinha do Japão, por exemplo. O judoca lá, que ganhou logo depois da Rafaela. Pera que vou dar um Google pra descobrir o nome dele. Pronto. Shohei Ono. Então, eu não achei que pro Shohei Ono a medalha foi tipo "antes e depois de Cristo". Quer dizer, da medalha. Claro que ele deve ter ficado ultramegafeliz e tal, mas não me pareceu que o rapaz do topete tenha passado pelas "7 Chagas do Apocalipse" pra chegar até ali. Não teve milagre na jogada, ou pelo menos

não pareceu. Pra mim soou um percurso natural, e não há aí nenhum demérito, apenas constatação (ou chute).

Eu sei que tem a coisa cultural e tudo o mais, de a gente ser passional, latino, e chorar e romper protocolos, mas mesmo assim. Tem ouro que vale mais que ouro. Como a nossa judoca escreveu na pele, na tatuagem que exibe em seu braço, "Só Deus sabe o quanto eu sofri e o que fiz pra chegar até aqui".

Ao lado da frase escrita com agulha na carne negra – a carne mais barata do mercado, já dizia Elza Soares –, o símbolo das Olimpíadas também vai ficar pra sempre, e ali, no corpo da Rafaela, e só por causa da Rafaela, ganhou uma nobreza que as argolas coloridas não possuem há tempos.

E não tô comprando a historinha da "pobre menina pobre", não. Essa personagem, da atleta da Cidade de Deus transformada em Cinderela pela conquista olímpica – e que vai ser tema de todos os especiais de TV com musiquinha triste no fundo e imagens à la Sebastião Salgado da comunidade pra consumo redentor da classe média –, é maior do que o enredo óbvio mastigado pela comunicação de massa. Até onde eu entendi, Rafaela teve amor de pai e mãe, e se isso não é tudo, é quase.

Sem falar nos treinadores. Uma vez escrevi aqui neste espaço que pessoas são salvas por pessoas, frase simples e emblemática da peça *Os realistas*, com a Debora Bloch.

Não somos todos Rafaela. Não nascemos todos na Cidade de Deus, não sabemos o que é ser negro, ou pior, negra, no Brasil, não sabemos o que é ter coragem de ir em frente quando nada à sua volta inspira. E quantos de nós dedicamos parte do nosso tempo estendendo a mão por aí, oferecendo oportunidades que não chegam pelo Estado?

Eu, não. Sou esquerda caviar, como bem diz o pessoal do Instagram e do Twitter, meus inimigos virtuais que não me deixam na mão, obrigada, galera! Escrevo umas coisinhas aqui, falo outras coisinhas ali, me acho superengajadinha, mas fazer a diferença na vida de alguém que é bom, nada.

Aí vem um cara como o Geraldo Bernardes e faz um projeto social chamado Instituto Reação, que muda a vida de centenas de crianças. E isso não tem nada a ver com medalha, prêmio, grana ou foto no jornal. Ter um mestre que te diga que você pode, e que te dê autoestima e que te mostre valores, que ainda por cima te ajeite o cabelo na hora de uma entrevista, isso é uma tocha acesa pra vida toda.

O Guti Fraga, por exemplo. Guti criou o grupo de teatro Nós do Morro, do Vidigal, há trinta anos. De lá pra cá formou inúmeros atores, como Babu Santana, Thiago Martins, Roberta Rodrigues, e uma infinidade de gente de quem você nunca ouviu falar mas pra quem a fama importa menos que o reconhecimento. Re-conhecimento. Saber quem se é, independentemente do endereço da tua casa ou do montante na conta bancária. Ter um ouro que fica dentro e que ninguém te tira.

P.S.: E já que não entendo nada de esportes, arrisco aqui outro chute. Talvez sejam exatamente esses valores, aos quais me referi ao falar da Rafaela, que estejam faltando na nossa Seleção de Futebol. Não sei se é o excesso de grana, de mimo, ou de moral, ou a completa ausência de resiliência, justamente a especialidade do time do Iraque. Pra quem está em guerra há anos e já passou pelo Saddam Hussein, o que é a marra de um Gabigol? A Seleção Brasileira tá no clima do japonês, só que sem a vitória. O 0 a 0 do último jogo foi vitória de lavada pros iraquianos. Tem ouro que vale mais que ouro.

Maria
2016

All Star azul

Filme: *Tomboy* (Céline Sciamma)
Música: "Por enquanto" (Cássia Eller)

Nunca usei All Star. Nem de cano alto, nem de couro, nem o branquinho mais básico, e muito menos o azul icônico da Cássia Eller que já vem com a trilha do Nando, o Reis, tocando bonito no fundo da cena em Laranjeiras. Não que eu não tenha tentado. Tentei muito. Usar tênis sempre me pareceu o nirvana da autoestima no departamento *"look* do dia". A pessoa se sentir forte, e grande, grande no sentido inverso, grande pra dentro, grande querendo dizer nobre, nobre querendo dizer bondoso, transcendente – melhor parar porque quando eu começo a expandir o pensamento assim nessas tentativas de ser compreendida vou mais longe do que os *stalks* no Instagram: às vezes termino em Descartes, às vezes tô debruçada sobre a vida do primo da tia da avó da namorada atual do meu ex-namorado da época da puc.

Bom, voltando: a pessoa se sentir forte, com um pisante rasteiro, rasteiro no sentido de rente ao chão, de raiz, de perto da rua, de perto da vida, isso pra mim sempre foi o túmulo da psicanálise. Um ser humano de tênis é um ser humano sem problemas ou traumas de Sófocles. Alguém que certamente nunca comeu um La Basque de chocolate *choc chip* inteiro e direto do pote de um litro assistindo a *Billions*, ou teve uma raiva assassina do amiguinho do seu filho de 7 anos porque não o convidou pra festa. Não tem aquela música do The Smiths? "Some girls are bigger than others"? Então. Pra mim é: quem usa tênis é *bigger than others*. O tênis é a escrita simples, é o Manoel de Barros, é a democracia, o amor correspondido, é o cabelo repartido da criança pequena e humilde no domingo de culto.

Na infância, passei pelo Conga e pelo Bamba, e já adolescente fui devota primeiro do Reebok e depois do New Balance e em seguida do Redley na mesma proporção em que amava A-ha e revezava o projeto de casamento entre Tom Cruise e Fábio Jr. A vida no século XX, parceiro, era tão doce e profissional quanto o mar do Caymmi.

Até que eu cresci, ou melhor, não cresci, porque o metro e sessenta – E UM!!!! – já me acompanha desde os 14 anos, e a vida passou a girar em torno de conseguir 2 ou 4 centímetros angariados da forma mais discreta possível. Nunca consegui usar *scarpin*, nem sou boa em andar elegantemente com salto agulha ou plataforma, mas fui me virando com aqueles *mocassins* covardes e sobrevivendo com as alpargatas possíveis, porque, ao contrário daquele povo superior e evoluído da comunidade Tênis Futebol Clube, eu precisava de um saltinho Roberto Carlos pra turbinar a confiança nos meus próprios toques, assistências e chutes a gol.

Mas por que tudo isso, se estamos no Segundo Caderno e não na revista *Ela* (e muito menos no caderno de Esportes... rsrs...)? Qual a relevância de questão tão frívola quanto uma categoria de sapato diante do Moro comendo pipoca numa pré-estreia de um filme em que ele faz o Batman e também diante das tragédias brasileiras, como os naufrágios e as recorrentes violências sofridas pelas mulheres nos transportes? Por causa da Rosa. Por causa da Laís. Por causa do cinema. Porque às vezes o trabalho e a vida se encontram num lugar mágico e misterioso que não há razão científica ou método de preparação russa que dê conta de tamanha comunhão entre ator e personagem. Porque eu fiz um filme chamado *Como nossos pais*, em que, aos 40 no CPF e no intervalo entre o primeiro e o segundo tempo do jogo, fui obrigada a me ver durante dois meses em cima de um par de tênis azul-marinho e surrado de nome All Star, e sobre ele construí/recebi uma personagem que iluminou minha vida inteira pra trás e pra frente e me deu a chance de fazer tudo diferente.

Eu sei, tá abstrato. Tô ficando com esse problema. Um pouco de elemento terra, então: Laís Bodanzky, diretora paulistana de cinema, gênia, realizadora dos excelentes *Bicho de sete cabeças* e *As melhores coisas do mundo*, me chama pra fazer uma leitura de seu novo roteiro, *Como nossos pais*, esse que agora tá em cartaz nos cinemas, vai aeee. Isso em 2015. Bom. Leio o texto. Me apaixono. Pela história e pela personagem. Passo no teste. Fico feliz. Fico feliz. Fico feliz. Vou deixar a repetição 3 vezes mas poderiam ser 10. Enfim. Ensaio. Conheço os outros atores. Organizo minha vida pra ficar dois meses em São Paulo e faço combinados firmes e amorosos com meus meninos. Tudo caminha relativamente bem até que na primeira prova de figurino dou de cara com a dupla. Ali estavam eles, à espera da pessoa que eu me tornaria quando os incorporasse, à espera de uma retidão de caráter que só a proximidade com a terra é capaz de oferecer. Do chão, ninguém passa.

* * *

De posse dos pisantes da Rosa, de alguma forma da Laís, e de alguma forma também meus – Plínio Marcos no subtexto –, encarei uma jornada vertical que me fez voltar de Gramado com um prêmio de atriz e, mais importante, que me fez voltar de São Paulo com um prêmio de pessoa. Tenho recebido um amor por parte das mulheres que viram o filme que até hoje só havia recebido dos meus filhos: um amor de cumplicidade absoluta e fechamento incondicional, como quem diz "eu sei o que você tá sentindo, eu sei como é, que bom que eu não estou sozinha, vem cá, vamos nos abraçar".

No finalzinho do filme, e não vou desenvolver pra não dar *spoiler*, a personagem joga os tais tênis no lixo, como um ato simbólico de quem agora vai pra fase 2, verdade no comando e prazer profundo nesse novo jeito de viver, mesmo que doa um pouco no começo. Imitona que sou, fiz igualzinho aqui em casa, só que, ao contrário da Rosa, o que mandei embora foram os sapatos vermelhos da Dorothy, aqueles brilhantes, mágicos e reluzentes que a levam pro Mundo de Oz. Aos 4.1, eu quero a vida do All Star: pé no chão, problemas de frente, e amores imperfeitos.

Maria
2017

Maria Mariana

Filme: *A felicidade não se compra* (Frank Capra)
Música: "Minha namorada" (Vinicius de Moraes)

Mari,
No dia em que escrevo esta carta, você dorme. Na verdade, você tá dormindo há duas semanas. Catorze dias hoje. Não é um dormindo bom, porque você tá no hospital. Mas você tá no hospital pra ficar boa. Porque ficar boa é a única opção correta. No final do sono, vai ter um x na letra bê. Bê de boa, e também de Clara, Laura, Gabriel e Isabel.
Não sei se você sabe o que aconteceu. Acho que não. Mas ontem eu falei com a Pri e ela disse que você abriu o olho e chorou. Eu fiquei tão feliz que chorei também. E expliquei pro Bento, meu pequeno de 5 anos, que às vezes a gente chora de felicidade. Ele achou estranho e disse que queria almoçar, acho que pra mudar de assunto. É mais ou menos quando a tristeza e a alegria meio que dão as mãos, eu continuei vendo se melhorava. Tipo quando a gente atravessa a rua? Não, filho, na rua tem o medo também. Tipo no *Divertida Mente*? Quando elas ficam amigas? É, filho, tipo isso.
Divertida Mente é um filme de criança, só que não. Você viu? Eu me emocionei tanto quanto na última fita dos Dardenne. Aquela com a Marion Cotillard, em que ela tá deprimida

e perdendo o emprego, sabe? Eu sei que ninguém com menos de 30 anos fala fita, ou sabe o que é. Até porque não existe mais negativo. Se bem que eu uso muito Polaroid. E tô aqui te escrevendo uma carta, ainda que seja no iPad. A Polaroid é a fita dos Dardenne. E bê de boa é a única opção, Mari. Tá ouvindo? Você repete palavra quando escreve?

Eu resolvi resgatar o termo fita só pra não repetir a palavra filme. Pra ficar mais elegante, entendeu? Porque uma vez eu li que o João Ubaldo disse pra Fernanda Torres que não se deve repetir palavra. Mas eu acho que o que não se deve mesmo é ficar doente com 42 anos. E por isso você vai ficar boa. Porque sim.

Quando você acordar, Mari, eu vou te dizer o quanto você mudou a minha vida. A minha e a de um monte de gente. Eu tinha 16 anos quando assisti a *Confissões de adolescente*. Foi num domingo, acho que 8 de março. Eu lembro que era seu aniversário. Quer dizer, eu acho, não tenho certeza. Eu já fazia teatro, mas meus professores, na época, tinham uma pegada mais cerebral. Muita marca, quarta parede, Nelson Rodrigues, Shakespeare, Kafka.

Você não. Você pegou o seu diário e foi dizer pra quem quisesse ouvir tudo o que você sentia. E o seu mundo interno era gigante. Você cantava de vestido florido, dizia que era santa e puta, falava palavrão e tirava onda de namorada platônica do Vinicius de Moraes. Você falava de primeira trepada, primeiro baseado, e da relação apaixonada e freudiana com o seu pai. Você olhava no olho da gente, e se expunha com uma generosidade e uma delicadeza que eu buscava desde sempre. Que eu intuía existir, mas que ainda não tinha visto. Você era uma outra eu, só que muito mais corajosa.

E agora você está dormindo. Entre aquele dia no teatro e o sono de agora, nossas histórias se juntaram de um jeito muito forte, mas a real é que a gente nunca ficou amiga pra valer. Eu te substituí na sua peça, roubei um pouco seu pai, mas ainda não te disse que eu só sou o que sou hoje – alguém que não tem vergonha de sentir – por sua causa.

Acorda, Mari.

Maria

2015

Superego

Filme: *(500) dias com ela* (Mark Webb)
Música: "Diariamente" (Marisa Monte)

    Ser boa em Educação Física e não sentir saudades da minha mãe no meio da noite. Conseguir ingresso pro show do A-ha e não chorar se o menino com quem fiquei no Guns N' Roses estiver com outra. Decorar todas as falas do Nelson Rodrigues e perder 3 quilos. Ter coragem. Cães. Três reais pro pão de queijo.
    Viajar sozinha nem que seja pra São Paulo. Ler *Fogo morto* e *Menino de engenho* e não achar chato. Assinar a *Capricho* e escrever à máquina. Aprender todas as letras do The Smiths e fazer uma faculdade. Ler a parte de política do jornal. Não sentir culpa. Respirar. Doar os discos e a vitrola. Gostar do Zidane.
    Não trancar Introdução à Economia pela terceira vez. Treinar baliza na ladeira e não odiar o moço da autoescola. Aceitar a viagem pra Bocaina, mesmo com medo. Não parar o Amoxil antes de sete dias. Ter coragem. Filhos. Três reais pro pão de queijo.
    Ver a peça do Aderbal e o filme da garota que perde o balão. Fazer análise e marcar RPG. Dançar nas festas e não só no quarto. Renovar o passaporte e mochilar pela Europa. Desfilar pela Mocidade e ficar descalça no Jardim Botânico.

Ir de escada e não de elevador. Viajar pra Morro de São Paulo e só comer peixe. Soltar o cabelo nos pilotis. Estudar pra aula de violão. Beber. Não amar o meu pai e dar um tempo do jiu-jítsu. Depilar.

Não ficar sem graça com a ex-mulher do meu marido. Gravar os últimos capítulos dos *Maias*. Recortar matérias de turismo e deixar na geladeira. Comprar Frontal antes de ir pra Buenos Aires. Marcar de ir à Feira de São Cristóvão. Deixar bilhetes de amor pela manhã e tomar sol. Não depender dos meus pais.

Não gastar um terço do salário comprando roupa. Não ter medo do parto. Não achar que ter filho vai fazer todo mundo esquecer de você e que você nunca mais vai trabalhar. Não comer o pote inteiro de sorvete de chocolate *choc chip*. Ir pela Niemeyer e não pelo Zuzu Angel. Terminar o Hermann Hesse. Só fazer trinca de ás e de 3. Casar.

Não odiar as crianças que não convidam seu filho pras festinhas. Não odiar os pais dessas crianças. Tomar banho de mar pelo menos uma vez por ano e doar sangue. Ver o programa do Silvio Santos e passar aspirador no carro. Não pensar na morte.

Brincar de carrinho com o seu filho. Achar legal brincar de carrinho com o seu filho. Ler com ele *A mulher que matou os peixes*. Ficar com ele sem fazer nada. Ter vida pessoal ao mesmo tempo. Achar isso possível. Ter coragem. Gatos. Três reais pro pão de queijo.

Deixar o Rivotril pra emergências. Repensar o conceito de emergências. Sair do Facebook. Retornar telefonemas. Cortar o cabelo. Contribuir com o Greenpeace. Respirar e ter unhas feitas. Lembrar dos sonhos de manhã. Gostar do Fernando Torres.

Escrever as colunas com antecedência. Fazer álbum físico da infância dos meninos. Viajar com eles pra um lugar sem wi-fi. Achar bom viajar com eles pra um lugar sem wi-fi. Gravar o meu pai antes que ele morra. Ler *Cem anos de solidão*. Separar.

Não achar que fazer novela na Record é pior do que na Globo. Não tirar *selfies*.

Voltar pro pilates. Mochilar pela América do Sul. Ser animada nas festas. Assinar a *Piauí*. Não ter medo de túnel e elevador.

Tomar banho de banheira demorado. Não falar pra ninguém porque pega mal.

Responder pro Rodrigo sobre o título do filme. Parar de beber Coca-Cola. Fazer uma tatuagem de âncora. Escrever a carta pro Domingos. Querer ter outro filho. Conseguir ter outro filho. Assistir *Fanny e Alexander*. Não ter medo do parto. Ver meus sobrinhos uma vez por mês. Não ter medo de ficar louca. Desistir de ter unhas feitas. Investir em shampoo bom.

Sair do Instagram. Trocar o carro pela bicicleta. Desenhar a altura dos meninos na parede. Almoçar com a Marcella uma vez por semana. Levar os cães pra fazer trilhas. Tirar *selfies*. Deixar o cabelo crescer. Contribuir com a peça da Martha no Catarse. Fazer Papanicolau. Não dar cheque pra pagar estacionamento. Voltar a amar o meu pai.

Aprender a fazer feijão e biscoito amanteigado. Assistir a *Game of Thrones* e comer coisas cruas. Levar minha afilhada ao cinema. Chorar. Entender de árvore e passarinho. Não depender de marido. Comprar discos e vitrola. Escrever as cartas do Cassiano.

Dançar nem que seja no quarto. Parar de comer pão de queijo. Fazer outra tatuagem. Não mandar *nudes* com cabeça.

Parar de tomar Red Bull. Correr na areia. Não mentir que está correndo na areia se você só correu 3 vezes em cinco meses. Assitir a *House of Cards* e renovar a habilitação. Pensar na morte.

Ir ao samba do Pretinho no Rival. Sambar no samba do Pretinho. Tomar uma cerveja pra que isso seja possível. Talvez tomar 2. Sair do WhatsApp. Fazer mamografia e torcer pra Erundina levar a presidência da Câmara. Entender de drinques. Suar.

Acompanhar o inventário do meu pai. Tirar o coração da alcachofra como ele fazia. Parar de chorar. Contribuir com os Médicos Sem Fronteiras. Assitir a *Gritos e sussurros*. Aumentar a letra do celular e dizer não. Assitir a *Girls*.

Saber que se está na metade. Desistir da Índia e do Japão. Não desistir do amor. Ligar pra Antônia e marcar exame de tireoide. Não depender de ninguém. Sentar no balcão do Azumi e ouvir "Passarim". Gostar do Di María.

Depender de quem se ama.

Ter coragem.

Netos.

Três reais pro pão de queijo.

Maria

2016

João Doria

Filme: *Pixo* (João Wainer)
Música: "Comida" (Titãs)

    Primeiro, e com certeza, o Orígenes Lessa. Porque eu não tinha nem 10 anos quando ele foi à minha escola em Botafogo conversar com as turmas do terceiro ano e autografou o meu livro. Quer dizer, o livro dele. Que ele escreveu. Ou seja: o livro dele, que era dele há um tempão, em um segundo passou a ser meu só porque eu me inscrevi na feira literária do colégio e fiquei na fila pra pegar uma assinatura e configurar uma relação. E, como desde pequena levo a sério esse lance de relação e vi meu nome junto ao de um escritor de verdade dentro de um objeto tão importante e misterioso como um Livro – sim, maiúscula –, de alguma forma senti que a partir dali éramos um casal. Sim, um casal, ou no mínimo uma dupla, e que, portanto, eu deveria cumprir com a minha parte no documento, o que significaria ler um pouquinho e escrever de vez em quando nem que fosse um haicai ou uma pichação (em São Paulo, naturalmente). Então é obvio que o autor paulista é um dos culpados.
    Depois minha mãe. Porque uma vez eu fiz um versinho de amor muito bobo, mas a minha mãe achou tão lindo, ou pelo menos disse que achou tão lindo, e mostrou pro meu

pai e também pras amigas dela, e eu fiquei tão feliz de ela ter orgulho de mim, que até hoje eu penso que, se ela achar bonito um ou outro texto meu como um dia ela achou o poeminha do "amor é uma multidão que se junta no coração", nenhum motivo pode ser mais nobre e quentinho do que esse.

Otto Lara Resende. Este é um culpado indireto, coitado. Um culpado físico, geográfico, circunstancial. Acontece que éramos vizinhos. Vizinhos mesmo, muro com muro, rua Joaquim Campos Porto na época em que os CEPs só tinham cinco dígitos e o Tom Jobim comprava pão na padaria Século XX. E porque, no dia em que ele tomou posse na Academia Brasileira de Letras, acabou saindo uma foto no jornal em que ele e meu irmão Otávio se abraçavam como velhos amigos, ele com seu fardão, e Otávio de tenista, eu também achei que ele era da família e que, portanto, escrever era uma consequência e um dever de quem morava por ali, um talento distribuído democraticamente no ar pelos paralelepípedos do Horto.

Bom, além do Orígenes Lessa, da minha digníssima mãe e do Otto Lara Resende, existem vários outros culpados por me incentivar a tão solitário esporte como a escrita, e não seria justo com o leitor listar toda essa gente mal-intencionada em uma única coluna. Claro que não posso deixar de acusar as professoras Vera Lúcia, de Português, Filomena, de Literatura, e o cronista Rubem Braga, a melhor pior influência de toda a minha vida. Porque o Braga, com seus textos curtos e cheios de sabiás, é faca no peito em dez minutos. Com ele aprendi a me emocionar com uma folha no asfalto, logo eu que sempre chorei sem motivo e não precisava ir mais fundo pra encostar na beleza.

Tudo isso pra dizer que talvez não seja culpa do Doria, o João. Somos o que lemos, o que nos ensinaram, o que nos disseram ser o certo. Não é, não? Olha a autoajuda aí marcando sua presença! A sorte é que sempre dá pra fazer diferente, caro prefeito. Aprender. Ouvir. Mudar a perspectiva... Peço, portanto, a compaixão dos nossos irmãos cristãos – ou ateus, ou evangélicos, ou espíritas, não importa – e arrisco aqui uma explicação psicanalítica para tantas latas de tinta de cor cinza usadas em vão na cidade de São Paulo.

Você tinha 5 anos, João. Quase 6. Um dia, voltando da escola e entusiasmado pela aula de Artes, você resolveu, num rompante criativo, fazer na parede um desenho de um tiranossauro rex. Porque você sempre teve loucura por tudo o que se referia à Pré-História, tanto que gostava de usar o cabelo bem despenteado tal qual um homem das cavernas. Sua mãe, no entanto, sem ter como prever seus gostos infantis, decorou as paredes do seu quarto de menino com cavalos de corrida. Sendo essa a paixão do seu pai e do seu avô, nada mais natural do que manter na família o amor pela equitação. Ela também explicou sobre estar sempre bem penteado e com o quarto bem organizado.

Depois você fez 10. Já usava o cabelo repartido no meio, as camisas polo Ralph Lauren e o *mocassim* da Gucci e já ansiava pelas férias em Campos do Jordão e em Miami. Os dinossauros eram página virada, e as pinturas também haviam sido deixadas de lado. Você nunca esqueceu a bronca por ter desenhado fora do lugar de desenhar. E depois, a essa época, já quase não havia tempo pra brincar, era preciso falar muitas línguas e fazer muitos esportes pra se tornar um adulto vencedor.

Pois bem, João. Entendo sua história. Cada um tem a sua, e nenhuma é melhor ou pior do que a outra. Mas agora que você chegou tão longe e tá no comando da maior cidade do país, sugiro estudar um pouco sobre a função do *pixo* e do

grafite nos centros urbanos. Sugiro compreender o sentido da palavra intervenção. Manja Paulo Mendes da Rocha? Profeta Gentileza? OSGEMEOS? Se não, sugiro pesquisar. Por respeito aos seus Di Cavalcanti, saia de dentro de si e olhe em volta. São Paulo é linda, companheiro. Tem um cinza bonito que não tem em nenhuma lata de tinta.
    Maria
2017

Para Marilu

Filme: *The square: a arte da discórdia* (Ruben Östlund)
Música: "Blackbird" (Beatles)

 Pronto. Agora, sim. Já rolou o eclipse, a conta de luz finalmente tá no débito automático, e você conseguiu, depois de cinco meses de procrastinação, mandar a pintura do Mabe – o Manabu – pro restauro. Não que você sentisse exatamente falta dela, da pintura. Você não tem nenhuma sensibilidade especial pra obras de arte, e nunca chorou diante de um Velázquez. Mas aquele pequeno quadrado de papel no qual se lia – no qual se lê – "para Marilu", além do desenho bonito, sempre te fez companhia à beça.

 Marilu foi sua avó paterna. Morava numa cobertura no Lido, passava o verão numa casa com alpendre em Petrópolis, gostava de doces portugueses e tinha um dálmata chamado Roque. Era louca por Dostoiévski e Katherine Mansfield, e não tinha muito saco pra criança. Talvez já tivesse gasto – ou gastado, nunca sei – todo o repertório de amor possível numa única existência com seus filhos e netos anteriores a mim, netos que teve que assumir completamente quando sua única filha, minha tia Lili, decidiu sair mais cedo da parada.

 Eu sempre achei misterioso ter parentes que haviam cometido suicídio, mas esse era um assunto do qual pouco se falava na minha casa. Ouvíamos sobre os feitos do meu tio Aloysio no tratamento da tuberculose, do meu avô Leonídio e seus diversos livros sobre medicina legal, mas ninguém, absolutamente ninguém, mencionava a solidão, ou o deslocamento, de uma mulher que decide tirar a própria vida, mesmo com 3 filhos pequenos. Aliás, e só agora me dou conta disso, não se mencionava absolutamente nada sobre mulher nenhuma. Não, nada e nenhuma numa mesma frase é mais triste do que festinha de criança com brigadeiro sem lactose, espetinho de abacaxi e animador animado.

Mas não sei como cheguei até aqui. Na minha tia Lili. Até porque tudo isso aconteceu muito antes do meu nascimento. E eu queria falar do eclipse. De como a lua cobrir o sol, e grande parte do mundo parar alguns segundos pra olhar pro céu e se emocionar com um fenômeno natural, gratuito e quase democrático, me deu alguma esperança. Será que vão soltar o Rafael Braga depois do eclipse? Será que o Temer vai renunciar? Será que o Silvio Santos vai ser capaz de se desculpar com a Fernanda Lima e com todas as mulheres que vem ofendendo há anos na televisão, mesmo "sem querer"? Será que todo mundo viu como é linda a Miss Brasil Piauí? Será que o refugiado sírio que foi agredido em Copacabana vai ficar rico vendendo esfirras? E será que ele perdoa os agressores? Será que eu perdoo? Será que sou perdoada? Será que corto o cabelo? Será que fico feliz?

Bem que podia. Segundo Jorge Mautner, a sabedoria é uma ciência alegre, e, se teve uma coisa que eu fiz neste ano, que pra mim começa agora, foi aprender. Comecei a ter aula de violão, tô ralando pra entender o *Distritão* e um mínimo sobre o nosso sistema político, me esforço diariamente pra viver sem meu amigo Jorge Bastos Moreno, e cada vez que leio sobre o feminismo fico um pouco melhor, ou, no mínimo, menos ignorante. Empatia é quase amor.

    E mesmo o Papa Francisco dizendo que não existe acreditar em horóscopo, porque isso, sei lá, não é tão cristão, eu sigo crendo que o último eclipse encerrou o que do meu 2016 ainda estava mal-ajambrado no meu 2017, como a ansiedade por compreensão e a descrença no outro. E olha, papa, numa boa, discordo de você. É muito peso em cima de Deus! Bora dividir isso aí... Eu, atualmente, junto pai-nosso com Susan Miller, Frontal com Bela Gil, uma roupinha nova com Pilates, e revista de moda com romance russo. Cada um que faça sua própria equação.

    Acordei nesta semana dividindo meu tempo entre leituras do Instagram da minha amiga Lívia de Bueno, em que ela diz que "às 15 horas e 31 minutos desta segunda-feira, a Lua encontrou o sol em Leão pela segunda vez e também encobriu totalmente o sol, o que vai exigir de nós autenticidade e coragem", episódios geniais da série infantil *Valentins*, com a Cláudia Abreu, e revisões dos textos do meu livro novo, que era pra ter saído há dois anos e só agora começa a tomar forma.

    Às vezes, um mês demora um ano, e um ano passa em uma semana. Não estamos em agosto, mas, sim, em janeiro, tudo começando agora, os dentes com gosto de pasta de hortelã, o *new document* brilhando no computador, a minha sobrinha Inês – que aos 4 anos canta Los Hermanos –, o filme que fiz com a Laís, a Bodanzky, indo pro mundo, a minha pele nova mais uma vez. Quantas será que ainda tenho?

    Minha tia Lili morreu com 28 anos. Dos seus 3 filhos – 2 meninos e 1 menina –, só 1 está por aqui. E foi justamente minha prima Maria Lídia quem me deu, de presente de casamento, o pequeno Mabe que agora foi restaurar. O quadro, dado pelo próprio artista à minha avó, se tudo der certo um dia irá para a parede de um dos meus filhos, que talvez, e apenas por isso, conheçam a história da bisavó Maria Luísa, da tia Lili e da prima Maria Lídia, mulheres fortes e guerreiras que continuam precisando ser vistas.

Eu olhei pro céu na hora do eclipse. Não dava pra ver, mas eu vi mesmo assim. A lua é um substantivo feminino, e se isso não quiser dizer nada, é bonito mesmo assim.

Maria
2017

Rio Vermelho

Filme: *Ó paí, ó* (Monique Gardenberg)
Música: "Um certo alguém" (Lulu Santos)

Pro rapaz do Rio Vermelho

Hoje é segunda-feira e você foi morto na Bahia (eu tô escrevendo). Hoje é não sei que dia e você foi morto na Bahia (eu tô lendo). Sim, mais um ataque homofóbico (eu tô gritando). Não, nada foi roubado. Não, nenhum motivo aparente. Saindo da boate, sem inimigos, tipo Orlando. Pelo menos foi o que saiu na CBN, a rádio de notícias que roubou o endereço da Globo FM, onde eu sempre ouvia o Lulu Santos – quando eu ouvia música – que agora eu ouço na JB, que devia ser do finado jornal carioca que agora abriga... Enfim.

Eu tava indo ver *Julieta*, do Almodóvar, e era meu primeiro dia de férias. De propósito não li o jornal, dane-se o dólar e a Lava Jato, e também não queria ouvir rádio, chega de Olimpíadas e obras superfaturadas. Entrei no carro disposta a ouvir "Something to remember", da Madonna – porque nem música de agora eu queria ouvir – e esquecer meu nome e todos os meus números civis, não fosse essa mania de querer ser quem não se é (tipo Leminski, só que ao contrário). E não fosse você ter morrido na Bahia.

É que a pessoa que eu quero ser – agora sem tanta certeza – já deixa o dial no Sardenberg e na Miriam Leitão pra mó de entender um cadim mais de política e economia enquanto fica no trânsito. E aí quando você menos espera vem o índice Bovespa e a umidade relativa do ar, mesmo quando você só queria uma musiquinha bem velha e reconfortante. *Julieta*, Almodóvar, férias, Lulu Santos. Você foi morto na Bahia.

Antes de ouvir sobre o crime no Rio Vermelho eu já tinha lido no Facebook sobre um garoto russo de 17 anos que foi assassinado na escola pelo mesmo motivo, ou seja, por ser considerado homossexual. Sim, na escola. Sim, e agora com ponto de exclamação e em caixa-alta, NA SALA DE AULA! Deus não existe.

Antes ainda, bem antes, mais especificamente um ano atrás, eu tinha ido a Salvador conhecer a Fundação Casa de Jorge Amado, e fiquei achando o Rio Vermelho um lugar idílico, onde se ouviria Dorival Caymmi pra sempre, e nunca nada de mal poderia acontecer a ninguém.

Lulu Santos, Dorival Caymmi, tarde em Itapuã, queijo coalho com mel, útero. Nada de mal podendo acontecer a ninguém. Era isso o que eu queria. Que eu queria querer. Mas não deu. E nem foi por causa do índice Bovespa.

Porque entre o antes da sua morte e o antes do menino russo assassinado em sala de aula, eu já tinha ficado triste – porque essa mina azul chamada tristeza nunca que tira férias, não é mesmo? – por causa da história da Joselita, mãe do menino Roberto, aquele que junto com 4 amigos tomou 111 tiros de 4 policiais militares no Rio de Janeiro – sendo 80 de fuzil – e morreu aos 16 anos sem ter cometido crime algum.

Então. Joselita também não aguentou, e menos de um ano depois do filho, morreu também. Ela tinha 44 anos e no atestado de óbito escreveram que "o falecimento ocorreu por conta de uma pneumonia". Pulmão. Os PMs que assassinaram seu menino tinham acabado de ser inocentados. Enfim.

 Às vezes não dá pra ficar feliz só porque a gente quer ficar feliz (eu tô sussurrando). Você morreu, e eu não te conhecia. Você morreu e eu vou te esquecer. E também vou esquecer do garoto russo. E também da Joselita.

 E agora me lembro que eu tô de férias, e talvez devesse ser mais leve, mais Lulu Santos, férias na praia, uma música velha da Madonna. Mas você foi morto na Bahia (eu tô sentindo).

 Maria
2016

Madonna

Filme: *Procura-se Susan desesperadamente* (Susan Seidelman)
Música: "Girls just want to have fun" (Cyndi Lauper)

Madonna,
Não começou com você, ok? Antes de você ficar se achando. Que antes de você teve a minha mãe. Por vários motivos, aliás, que não só o fato de ela ser minha mãe. Um, que ela também era loura e tinha o melhor *closet* do planeta. Dois, que ela era casada com o melhor cara do mundo que era o meu pai e essa foi a minha única experiência bem-sucedida de compartilhamento afetivo de um cara. E três, e principalmente, que ela tinha uns rolinhos de cabelo gênios que esquentavam num esquentador de rolinhos de cabelo gênios e ali eu vislumbrei a maturidade.

Depois, por ordem cronológica, vieram: Mulher-Maravilha, Simony (que além de aparecer na TV e ser amiga do Roberto Carlos e do Fábio Jr., ainda tinha um clima com o Mike), She-Ra, qualquer paquita que por ventura eu descobrisse depois de vasta investigação ter alguma morenice no DNA – o que recuperava toda a minha esperança vã de usar aquela magnética bota branca – e, por último, todo ser humano da face da Terra que fizesse par romântico com o meu futuro marido Tom Cruise.

Depois, fase novelas *mode on*, Malu Mader/Lurdinha, Lídia Brondi/filha do Sinhozinho Malta (esqueci o nome agora), e Glória Pires/Ana Terra rapidamente se transformaram nas minas-modelo da mulher que eu me organizaria pra ser, isso muito antes de pensar em ser atriz. É bem verdade que eu não tinha a menor ideia se as personalidades das moças faziam jus à atitude das personagens, mas eu gostava da força e da rebeldia fazendo tabelinha com um cabelo bom. O cromossomo X também podia ser Jedi.

Pra mim era uma novidade, parceira. Em casa, à la Gilberto Freyre, as garotas deviam ser bem-comportadas, discretas e coadjuvantes dos rapazes, que sequer carregavam o sobrenome materno – aqui tem aquele *emoji* chocado, tipo *O grito*, do Edvard Munch. Aqui Simone de Beauvoir já quebrando tudo no Les Deux Magot. Aqui eu dando a mão pra minha irmã, companheira de vestidos da Bonita e laços de fita no estilo tornozeleira de Curitiba, se é que vocês me entendem. Tentamos o piano, Isabel e eu. Aprendemos francês, frequentamos uma escola onde cada *Homo sapiens* carregava na mochila pelo menos 3 sobrenomes, jogamos tênis num clube inglês com aquela saia Tenenbaum do Wes Anderson, e dançamos *O quebra nozes* no mínimo um par de vezes no Municipal.

Como a vida parecia ser aquela ou aquela, fui em frente com poucas subversões. Teatro. Violão. Grêmio estudantil. Uma calça rasgada na escola. Uma amizade inusitada com o Baby Bocayuva, um desprezo por escovas de cabelo e festas de 15 anos. E aí você chegou. Aqui tem fogos de artifício. Aqui tem aquela vontade de viver depois de ver um filme bom. Aqui tem a primeira mordida num chocolate.

Incrível como uma única pessoa vem e muda tudo. De Jesus a John Lennon, de Buda a Sartre, de Joana d'Arc a Susan

Sontag, de Carmem Miranda a Maria da Penha, às vezes acontece, Louise. Você me deu permissão pra ser materialista, sadomasoquista, bissexual, frívola, vaidosa, consistente, politizada, alienada, religiosa, mãe, filha, transgressora, amiga, feminina, masculina, poderosa, tola, inteligente e o que mais eu quisesse ser.

Isso aconteceu nos anos 1980 e 1990, quando eu era a garota mais medrosa e insegura do planeta e só dançava de portas fechadas e com a casa vazia. Quando eu acordava com a Marília Gabriela e almoçava com a Leda Nagle, já desconfiando que aquelas moças da televisão eram minhas admiráveis parceiras de enfermaria porque, assim como eu, questionavam tudo e tinham prazer na discussão. Alô, Clodovil!

Porque isso agora? 2016 acabando, George Michael findo, a guerra em Alepo, todo mundo sendo preso, aposentadoria cada vez mais longe e prefeitos de cabelos repartidos prestes a assumir Rio e São Paulo, por que venho com vossa profana presença? Te trago pra essa página impressa porque semana passada, ao receber o prêmio de mulher do ano da revista *Billboard*, você fez um discurso que me fez de novo ter 15 anos, com a diferença de que agora, aos 41, tenho estrada pra agradecer. Obrigada, companheira. Vamos, sim, ser aliadas de mulheres fortes, admirar mulheres fortes, nos deixar inspirar por elas. Você iluminou minha vida inteira.

Porque em meio a todas as notícias ruins deste ano que já vai tarde, e da ferida aberta na nossa democracia, temos conseguido cada vez mais espaço. Aqui tem um megafone encaixado na mão de cada mulher brasileira.

Aproveito pra registrar o fim de uma revista que também fez história no mercado editorial tupiniquim. Obrigada, *Tpm*. Hashtag gratidão por me liberar de tantos rótulos e estigmas.

Aqui tem Vinicius cantando que se todos fossem iguais a você, que maravilha seria viver. Aqui tem Gal e Bethânia.

Vamos com coragem, mulheres. Com o amor tatuado no braço e as armas de Jorge no peito. Com a atuação da Andréia Horta de Elis gravada na pele. Com a biografia da Rita Lee na mala. Com o Twitter da Monica Iozzi na vida. E também o livro da Tati Bernardi. E a ousadia da Karol Conka. E os textos da Eliane Brum. E a energia da Amora Mautner. E o cinema da Laís Bodanzky. E a parceria da Dadá Coelho, namorada do meu ex-marido que cuida até do meu filho pequeno, que a gente é Novos Baianos.

Feliz ano novo, *sapiens* gêmeas. O feminismo é doce e nos abençoa a todos. Aqui tá tocando "Super mulher", do Mautner.

Maria

2016

La la land

Filme: *Sociedade dos poetas mortos* (Peter Weir)
Música: "Samba da bênção" (Vinicius, Tom, João Gilberto, Os cariocas)

    Você falou que era o "Outono". Que podia ser. O "Outono". Daquele filme, acho que coreano, das estações do ano. Que eu não vi. Que eu vou ver. Que eu tenho vontade de ver, mas não vejo. Que talvez eu não tenha tanta vontade assim. Como *Oito e meio. Grande sertão: veredas. A montanha mágica. Ulisses. Morangos silvestres. Guerra e paz.* Você sempre diz que as grandes obras são muito melhores do que ansiolítico e exercício físico. Mas isso é porque você não tem Twitter e Instagram.
    A opressão da estante. Do wi-fi. Do céu azul. Das listas a cumprir. Enfim. Você falou que era por isso. Que talvez fosse. Por isso. Que podia ser. Pode também ter sido dezembro, eu falei. Mais provável, inclusive. Que dezembro é tipo sentir angústia na casa da amiguinha. Que dezembro não pode dormir antes da meia-noite, que nem o personagem do *Laranja mecânica.* Só que sem o chapéu. Que dezembro tem 1 semana em que "nada funciona" e 2 dias generais. É um mês-*resort* e meio mau. Um mês com caixa de som na praia, exibido, superficial, protocolar. Um calendário que o Júlio César inventou há um tempão e que a gente segue como se

fosse um dado da natureza. Eu disse isso e fui pra cozinha pegar o leite na geladeira.

Mas estamos em fevereiro, você disse, vindo atrás de mim. E essa foi uma frase infantil "sem o charme das suas frases infantis", você completou. Te achei agressivo. E depois, você seguiu retrucando: eu falei "outono", metaforicamente. Estamos obviamente no verão, Maria. Então pior ainda, pode ser o Carnaval, eu devolvi. Que tem que usar purpurina. Que tem que sambar. Que tem que ser leve. Tipo esse filme aí, o *La la land*. Que você não viu!, você falou subindo um pouco a voz. Que eu não vi, devolvi com desprezo. Não vi e não vou ver. Que eu tô com medo de ver, entendeu? Que eu tô com medo, inclusive, e principalmente, de gostar. Porque se eu gostar eu vou achar que as pessoas são felizes no amor e ficam bem de vestido amarelo, o que não é verdade se você não é a Emma Stone. Sem falar que amarelo é uma cor que já tem dona. Ou você esqueceu da *Chapeuzinho* do Chico Buarque?, perguntei sentida, recorrendo a um pilar da nossa infância, pra em seguida emendar uma pausa dramática. Que você respeitou. Confesso que ali pretendia encerrar a conversa e voltar pro meu mundo invertido (aqui é pra quem viu *Stranger Things*), mas assim que desliguei o micro-ondas, fiquei fofa.

Você tem amídalas?, te perguntei. Hã?, você resmungou. Hã é uma coisa que você fala pra 1. ganhar tempo, ou 2. diminuir os temas que eu levanto. Às vezes as duas coisas ao mesmo tempo. Você fez aquela cirurgia que era moda quando a gente era pequeno?, eu insisti. Não, mas por que isso agora? Porque sempre que eu vejo essa xícara eu lembro de quando a mamãe me levava leite quente com mel. Lembra? Que eu tinha dor de garganta direto? Ela também colocava um lenço com álcool em volta do nosso pescoço, lembra? Que louco, de repente fiquei feliz. Acho que isso não se usa mais, né? Do álcool. No lenço. Você encerrou o assunto se fazendo de superior, como quem condena toda a obra do Woody Allen por ter associado ternura à hipocondria. Disse que tirou apêndice e todos os sisos e teve também hepatite, mas que a garganta sempre foi ok.

Família às vezes é um pouco ex-marido. No sentido de dar uma tristeza. Antes, quando eu ficava "meio assim" como eu tô agora eu conversava com o meu irmão e melhorava do "meio assim" na mesma hora. Agora, não. E me irrita ele sempre querer falar de cinema comigo como se fosse um crítico da *Cahiers du cinéma*. Até porque eu só queria sentar junto pra ver a GloboNews. A GloboNews é tipo uma farmácia 24 horas só que não precisa de receita. E sempre tem alguma coisa acontecendo, e problemas maiores e mais barulhentos que os seus. Um dia ainda ligo pra Renata Lo Prete.

La la land. Oscar. Amo esses eventos que acontecem dentro de casa. Acho que vou me vestir de gala e fazer uma *live* no Insta (muito cafona falar "vestir de gala"... rsrs). Acho que vou voltar a usar vestidos bons pra ficar em casa. O que isso tem a ver com tudo o que a gente tava falando?, perguntou o meu irmão, repressor.

Tudo a ver, respondi rápido. Primeiro que nada tem sentido nenhum. Não leu Shakespeare? Depois, que a gente começou a falar de coisas que nos deixam mais ou menos felizes, e talvez a falsa obrigação de ter que ver todos os filmes que concorrem à estatueta americana dê, a mim, pelo menos, uma euforiazinha tola e terapêutica. Que agora não vai rolar de ler *Guerra e paz*. Mas você não vai assistir a *La la land*?, provocou ele.

Não vou mesmo. E nem *Manchester à beira-mar*, que todo mundo diz que é incrível! O primeiro eu não vou ver por tudo que já expliquei e também porque preciso manter uma postura rebelde; o segundo eu queria muito, mas costumo demorar uns três dias me recuperando de filme triste com criança e como tô embarcando pra Berlim, não vou ter esse tempo. Mas posso ficar uma hora falando mal de *Jackie*, e olha que eu amo a Natalie Portman.

Quer saber? Vai ver é mesmo o "Outono" com aspas, metafórico, ou sei lá o que de tão profundo e metafísico. Vai ver é porque eu parei de tocar violão, ou porque nunca li a Katherine Mansfield que minha avó tanto gostava. Ou porque não tomo o sol que deveria, e desconheço o prazer da endorfina. Ou porque o tempo tá passando, ou porque o Temer indicou o Padilha pro Supremo, ou porque ninguém organiza protestos contra a situação atual dos presídios.

Não dá pra saber.

Nunca é uma coisa só.

É meio que a vida.

Vou ver *La la land*.

Maria

2017

Eliane Giardini

Filme: *Uma mulher sob influência* **(John Cassavetes)**
Música: "Vagabunda" (Clarice Falcão)

Eliane,
Ontem terminou o Festival de Gramado e eu me lembrei de uma história que eu nunca te contei. Claro que eu nunca te contei. Na época a gente não tinha a menor intimidade. Pelo contrário, você devia me odiar. Eu achava que você me odiava. E eu, além do ciúme, tinha pânico de te encontrar na rua. Eu te achava foda e gata e uma puta atriz e uma mulher. Eu não me achava uma mulher de jeito nenhum. Não é que eu não me achasse. Eu não era. Mas a intimidade. Que a gente não tinha. Que a gente não tem. E que não tem importância. Porque mesmo sem intimidade eu tenho a sensação de que somos da mesma família, e de que temos uma a outra. Foi num domingo. Eu tava com o Paulo num *flat* no Leblon, ali em cima do hortifrúti, mas na época era em cima da Dantes, um sebo gênio cuja dona era a Ana, que não tem nada a ver com a história, embora o Paulo tenha me comprado um Drummond lá com ela. Você ligou, Eliane. O telefone ainda era fixo. Fixo é uma palavra bonita. Eu sinto falta de telefone fixo. Mas você ligou no *flat*. Você ligou pro Paulo. O rapaz da portaria passou a ligação. Você meio feliz e meio triste dizendo que

tinha ganhado o prêmio de melhor atriz em Gramado. A vida inteira de vocês ali. O tempo que ele fez sucesso e você tava cuidando das meninas. O ciúme. A distância. E agora a sua vez. E você querendo dividir com o seu marido que agora não era mais seu marido, mas que ainda era a pessoa com quem fazia sentido dividir aquilo. Comemorar junto, que é o único jeito de comemorar. Você ligou. Vocês falaram. Eu ali não fazendo parte. Sofri por mim, sofri por você e sofri pelo Paulo. Mas sabe que também fiquei feliz por você? Enfim. Agora eu sou uma mulher. Agora nossos filhos são irmãos. Agora somos todas ex. E você segue cada dia mais foda. Mas eu só queria te contar isso. Que o Paulo ficou triste de não ir correndo te abraçar e ficar feliz com a tua felicidade. E que se fosse hoje, vinte anos depois e eu um pouquinho mais esperta, eu diria, vai lá, Paulo. Vai lá ficar com ela. Vai lá ficar com ela e vem depois ficar comigo. Mas volta, tá?

Maria
2016

Raquel do Waze

Filme: *Corra, Lola, corra* (Tom Tykwer)
Música: "Navegador" (Mallu Magalhães)

 Si-ga em fren-te por 3 qui-lô-me-tros, diz a moça do Waze. O pior já passou, continua outro alguém que daqui a pouco vou lembrar o nome, falando sobre economia na CBN. Que bom, você pensa. Que bom, você quase diz. Siga em frente. Três quilômetros. Depois 8. Depois 30. Depois fica fácil. Que nem correr. Acontece que você, ao contrário do Murakami, não acha correr uma atividade fácil sob nenhum aspecto, embora, por outro lado, você já não pense nos telefonemas não recebidos nem na ideia de futuro que você tinha projetado pra si nos últimos anos.
 Você já superou quase todos os ideais românticos de que pra mudar o mundo você não deveria se adequar a modelos nem fazer concessões. Você também já entendeu que ser mulher, e parecer "forte", dá uma boa selecionada na turma do *rolê*. "Parabéns!", você diz pra você mesma enquanto encosta no quiosque pra comprar uma orquídea amarela de flores pequenas (você leu em algum lugar que ter flores em casa é quase tão importante quanto os quarenta minutos de exercício aeróbico diários e quanto estar com o cabelo bom). Você levaria coisas em vários lugares. Antes, você recortava as

páginas das revistas e dos jornais e pregava na cortiça. Agora você simplesmente fotografa e às vezes nunca mais vê. Mas não importa. Você fotografa.

A sua pele ainda se recupera da mudança do ar, mas aos poucos você começa a ter prazer com a maresia e com a trilha sonora do mar, como se o cheiro da casa de Angra da infância invadisse um tempo que ela não pôde alcançar e dissesse: me dá a tua mão que daqui eu não saio. Me dá a tua mão que o sal é pra sempre. Me dá a tua mão que o vento agora é leste, caiçara Maria.

Você então estende a mão e toma 15 minutos de sol praticamente todos os dias. Você também faz esteira e aquele outro aparelho que simula uma espécie de escalada pro Everest. Pra ser capaz de escalar o Everest você vê séries enquanto sua e muda a carga pra acelerar o metabolismo. No momento, você vê a segunda temporada de *Billions*. Séries têm sido um grande remédio, mas às vezes você ainda sonha com tudo o que aconteceu.

Si-ga em fren-te. Você obedece. Você segue em frente e ainda tenta parar com o ansiolítico, afinal, você agora vai à praia, compra flores, faz exercício físico, ajeita o cabelo pra sair, e fotografa dicas de cremes e viagens e receitas que você nunca vai fazer porque você não tem o menor saco pra cozinha. Você compra uma bala francesa que tem uma propriedade fofinha pra acalmar o coração, mas mesmo assim ele aperta de vez em quando.

Você decide então tentar a homeopatia. Você consegue marcar uma hora, e aceita, resignada, o fato de o consultório ser no Città America. Você sempre fica um pouco angustiada com esses condomínios da Barra, talvez pelo fato de parecerem vazios e iguais. A homeopata tem cabelos brancos e você pensa que ela é uma pessoa melhor por causa disso. Você ainda não tem cabelos brancos, mas quando tiver irá pintar com certeza porque você é uma pessoa como as outras. Você é uma pessoa como as outras, você pensa. Você é uma pessoa como as outras, você pensa e quase diz. Ela então pergunta se você cobre o pé na hora de dormir e você fala a verdade. Que não. Nem o pé nem as pernas. "Será que foi por isso?", você pensa. Mas ela não sabe o que você pensou. Você toma leite? Come coisas cruas? Refrigerante?

Sim, eu tomo leite. Sim, eu tomo refrigerante. Não, não como coisas cruas. Eu comia tomate-cereja mas aí eu li em algum lugar que o tomate-cereja contém muito agrotóxico, então eu pensei que talvez o agrotóxico seja mais nocivo do que a ausência de legumes, verduras ou sei lá qual é a categoria dos tomates na classificação dos alimentos. De modo que eu parei com o tomate-cereja, mas posso voltar se você quiser!, eu digo, querendo ser aceita. Às vezes essa conta é quase impossível de fazer, eu acrescento. Mais ou menos como apagar ou não a luz do abajur... Me preparo pra desenvolver a questão da "luz acesa que conforta" *versus* "conta de luz e planeta", mas ela diz que estamos na hora e me receita beladona, o que acho simpático. Saio confiante, pensando que agora sou praticamente uma natureba, e que o próximo passo é fazer ioga. "Você já é uma adulta", pensei. "Você já é uma adulta!", pensei e quase disse.

Ser adulta pra você é ficar vinte minutos na fila pra pagar o estacionamento do condomínio da Barra cujos prédios são iguais e que parecem vazios embora não estejam e não sofrer com a caixa de som que só toca remixes de músicas que já eram ruins antes de serem "melhoradas". Ser adulta pra você é seguir em frente, comer apenas uma barra de chocolate por dia e colocar as contas em débito automático. Ser adulta pra

você é ter coragem de continuar sendo exatamente quem você é, jamais se arrepender do amor distribuído no caminho, e saber a diferença entre gérberas e girassóis.
Maria
2017

Para Edu

Filme: *Rio, Zona Norte* (Nelson Pereira dos Santos)
Música: "Vai malandra" (Anitta)

Moro em um "prédio de bacana", como se dizia antigamente. Já me acostumei às babás de uniforme branco no parquinho, aos motoristas lavando carros nos finais de semana, aos porteiros de terno e gravata mesmo no auge do calor carioca. *Welcome to Brazil*, parceiro. Aqui tem Carnaval, Flamengo, Copacabana. Aqui tem Ronaldinho, café, Carmem Miranda. Aqui tem "pois não, doutor" e tem "sim, senhora". E aqui tem a melhor música do mundo. Mas somos um país livre, você dirá, me chamando de esquerda caviar. Cada um vive a vida como melhor lhe convier.

É verdade, eu responderei, com gosto. Mas a escolha pressupõe conhecimento, confere? Fui criada jogando tênis em um clube em Ipanema que se vangloriava de só ter, em seu quadro de sócios, pessoas "da sociedade" – o que quer que isso signifique –, e achava absolutamente normal ter em casa uma cozinheira que via a filha a cada quinze dias. Estudei em colégios caros e nunca havia me dado conta da ausência de negros nas salas de aula. Não tinha idade nem repertório pra perceber que reproduzia, em minha própria casa, um país desigual.

Na faculdade, um pouco mais esperta – mas não muito –, percebi que além do racismo havia a questão de gênero, e que, mesmo com todo o conhecimento, uma professora poderia ser demitida por "justa causa" pelo simples fato de ter uma coluna no jornal falando sobre sexo. Um dos grandes arrependimentos que tenho na vida é de não ter brigado pela permanência da Regina. Nas aulas de O Homem e O Fenômeno Religioso a gente não aprendia a ser solidário. Sororidade, então, era tipo a mochila voadora dos *Jetsons*, mais futuro, impossível.

Mas isso foi nos anos 1990. Hoje, quem tem 20 anos sabe que pode ir pra rua, que pode escrever no Twitter, que pode fazer um canal no YouTube, que pode organizar um movimento pelo Facebook. A democracia chegou à comunicação, mas pra produzir e receber conteúdo você precisa estudar. E pra estudar você precisa de estrutura. De saneamento. De transporte. De família. E de identidade. Você precisa, sobretudo, de identidade. Você precisa ter certeza de que você não é menos do que ninguém, independentemente da sua conta bancária, da sua idade e da cor da sua pele.

Corta. Outro dia recebi em meu apartamento um casal de amigos pra jantar. Ela, branca, e ele, negro. Quase na sobremesa e um pouco constrangida, minha amiga contou que teve que dar o número do seu documento de identificação pra entrar no condomínio. Oi? Desci pra conversar com o rapaz "da segurança", que, muito simpático, me explicou que quem entra sem carro é mesmo obrigado a fornecer os dados para a portaria. São ordens de cima, ele disse, tem muita gente circulando. E quem entra de carro?, perguntei. Quem entra de carro não precisa, ele me explicou.

Lembrei do Joesley. Que deve ter vários carros. Um mais caro que o outro. Joesley achou que subir na vida era ficar rico.

Ter seu próprio avião, uma mulher jovem e linda, apartamento em Nova York com vista pro Central Park. Que é mesmo um parque delicioso, e que durante anos foi minha resposta para o "Onde você gostaria de morar", do questionário Proust.

Já me submeti várias vezes ao questionário Proust. As perguntas, respondidas pelo autor francês aos 18 anos, eram um passatempo comum entre adolescentes do século XIX. Qual a sua noção de felicidade? Onde gostaria de morar? Como gostaria de morrer? O que mais admira em uma mulher? E em um homem?

As questões, tão simples quanto certeiras, sempre foram uma espécie de retrato 3x4 da minha personalidade, e, assim, como meus passaportes, guardam uma pessoa diferente a cada caderno preenchido, o que sempre me enternece de alguma maneira.

Desde os 30 acho que sei minimamente quem sou, e, hoje, com mais ou menos 2 mil horas de Freud no currículo, já não tenho medo de admitir que algumas marcas jamais irão embora, e que alguns defeitos já atravessam governos inteiros, como o amor por uma cidade tão óbvia quanto a do café da manhã da Audrey Hepburn. Por outro lado, perdi o medo de perder e de dizer que não sei. Não sei mais quase nada a respeito do futuro, mas sei que, quanto mais aprendo, mais livre eu sou.

Moro em frente à praia. Já me acostumei com o pôr do sol na pedra da Gávea, com a maresia grudando as páginas dos meus livros, e com o *bullying* dos corredores felizes das 7 da manhã. Não sabia que o mar me fazia tão bem e que a rua me era tão cara, mas não me conformo que o meu bairro seja dividido em dois.

Eu não fui na passeata domingo. Mas deixo aqui meu protesto tímido, como dizia o Drummond. No meu próximo questionário, vou escrever que quero morar em um lugar onde os pedestres sejam reis, e que bacana signifique conviver com o vizinho. Daqui de São Conrado Ocidental, olhando pra São Conrado Oriental, torço pra que esse muro caia, que o Joesley seja preso, e que o Temer saia em respeito às aulas de História que o seu filho terá.

Maria
2017

Carta ao editor

Filme: *Viagem a Darjeeling* (Wes Anderson)
Música: "Modern love" (David Bowie)

Caro editor,
Desculpa falar, mas acho que você tá viajando de me pedir um romance. De onde você tirou que eu sou capaz? E não é só isso. Não é estranho uma editora encomendar uma coisa que deveria estar pronta, e que pra estar pronta deveria ter nascido de uma necessidade irrefreável de ser escrita? Tipo aquele texto do *Cartas a um jovem poeta*, do Rilke, que diz que só somos escritores quando sentimos que vamos morrer se não pudermos escrever?

Eu só morro se ficar sem WhatsApp e sem Instagram. No mais, vou em frente. Tudo bem que com análise, e Frontal, e Rivotril e agora Zoloft. Tudo bem que com análise 2 vezes por semana, 100 gramas de pastilha dragê da Kopenhagen, 3 Nespressos azul por dia e Red Bull pra sair à noite. Mas isso não quer dizer que eu seja profunda.

Por exemplo, eu cito muito, como você acabou de ver. E pessoas que citam não são profundas, se fossem não precisariam fazer uso da exígua erudição exibida anteriormente pra parecerem chiques. Elementar, editor. Eu também não li vários livros que são, tipo, básicos pra qualquer ser humano que preste: *Grande sertão: veredas*, *Crime e castigo*, *Cem anos de solidão*, *Em busca do tempo perdido* e vários outros que se você soubesse nem me cumprimentaria no Spot.

Não que eu me orgulhe, hein? Tenho até hoje guardada uma pasta de cadernos Mais que eu separei porque gostaria de ler um dia, mas nunca li. O que quer dizer que pelo menos eu tenho dentro de mim essa categoria "gostaria de ler um dia". Porque tem gente que nem isso, né? Tem gente que não tem vontade nem de fazer curso de Filosofia na Casa do Saber... Se bem que eu acho que querer fazer curso de Filosofia na Casa do Saber é pior do que ter casa na Flórida... Enfim, não foi pra falar de Miami que eu comecei isso aqui. Tá vendo? Sou de uma dispersão inacreditável. Só concentro dirigindo em estrada ou fazendo teatro.

Já sei. Sabe por que eu pareço ok? Porque sou atriz. Sério. Atrizes, de um modo geral, não costumam ter muito repertório literário. Se bem que isso que eu falei é um absurdo, a Malu Mader é a pessoa que eu conheço que mais lê. E o pessoal do Antunes também tem cara que só encara livro grosso... Quer dizer, além de tudo sou preconceituosa com a minha própria profissão.

Mas de verdade: eu não sei se sou capaz. Crônicas tudo bem, faz parte do meu pacote de ser meio espirituosa, meio engajada, ¼ ansiosa e 10% singela. Mas romance ainda não. Um dia, quem sabe? Vamos torcer.

Se você quiser a gente faz um livro de cartas. Tô lendo o do Ivan Lessa com o Mario Sergio Conti e é sensacional. Os caras são geniais e ainda suprem a minha cota *Big Brother*. Pensa aí.

Beijos,
Maria
2015

P.S.: Esquece tudo que eu falei. Acabei de lembrar que o livro da Andressa Urach saiu pela Planeta. Vou escrever a continuação de *Guerra e paz* pra vocês. Bora jantar na segunda?

Laís Bodanzky

Filme: *Acima das nuvens* (Olivier Assayas)
Música: "Show das poderosas" (Anitta)

Laís,
Acabei de chegar do teste. Que você diz que não era teste. Que você diz que era uma leitura. Acabei de chegar da leitura. Ainda tô sob impacto do roteiro, e tô torcendo muito pra que você tenha gostado de mim, mas preciso te fazer uma confissão. É que embora eu queira muito fazer a Rosa – e talvez nunca em toda a minha vida eu tenha tido tanta vontade de pegar um papel – eu muito provavelmente não sou a atriz ideal. Você disse que gostou de mim no *Saia justa* porque eu sou forte e combativa, e que quer que a personagem do seu filme não tenha um ar de vítima, apesar da pressão em volta dela. E que por isso você pensou em mim. Acontece, Laís, que eu sou mais frágil do que o passarinho do Quintana. E exatamente por isso, por ser tão sensível e vulnerável, é que sento naquele sofá com a roupa amarela da Uma Thurman no *Kill Bill*. Choro por tudo e me magoo fácil, de modo que a minha agressividade é a única fachada possível, minha máscara de oxigênio transgênico nessa Amazônia sem verde que é dar opinião no Brasil. É isso. Eu precisava ser honesta. Sou uma fraude, uma propaganda enganosa, alguém que até hoje

fica olhando pro relógio durante as sessões de análise pra ir embora antes que a analista diga que acabou. Portanto, antes que você me diga que "muito obrigada, mas escolhi outra atriz pra fazer a Rosa", prefiro me antecipar e te falar a verdade. Que eu quero muito, mas não sou a mina durona que você acha que eu sou.

Com amor, medo e esperança, tudo junto e embolado,
Maria
2015

Laís Bodanzky, Instagram

Ela é meu esquema: Mundo Livre tocando aqui... Me ensinou a usar All Star, me trouxe de volta a atriz, me mandou fazer cada cena 8 vezes, me deu um Kikito, me mostrou que dá pra fazer tudo diferente mesmo sem saber onde vai dar, me colocou pra andar de bicicleta nas ruas de São Paulo, me fez ver de novo o *Saia justa*, me deu a Rosa, o feminismo, me devolveu a mim mesma. Só que melhor. Mais legal. Mais humana. Mais errada. Mais despenteada. Mais honesta. Te amo, @bodanzky. Feliz aniversário, que nosso filme vá tão longe quanto já foi na minha vida e no meu coração.

Tô ligada que cê tá em Brasília dando aula no Festival de Cinema, e acho o máximo a pessoa que passa o aniversário nem aí, mas acho que nesse lugar eu não chego, não...
2017

Joyce com y

Filme: *Notícias de uma guerra particular* (João Moreira
Salles e Kátia Lund)
Música: "Passageiro" (Rodrigo Maranhão)

Primeiro apareceu a Joyce. Agora não sei se com i ou com y. Também não fiquei sabendo o sobrenome, mas isso não importa. Às vezes um nome basta, tipo Maysa, Bethânia, Eneias. Enfim. Joyce. Joyce abriu a noite. Seguríssima, empoderada. Chegou, pegou o microfone, deu boa-noite e explicou detalhadamente as instruções de segurança: saídas de incêndio, luzes de emergência, teste das luzes de emergência, vários bombeiros suuuper fortes e compenetrados. Joyce fez com que eu me sentisse extremamente segura, o que num ringue eleitoral tem lá o seu valor. Qualquer coisa eu sabia exatamente por onde sair correndo. Hashtag gratidão.

Depois veio a Camila. Morgado. Quer dizer, ao contrário da Joyce, que estava ali, a Camila devia estar na casa dela. Mas na TV ela tava linda e loura, com uns cachos meio anos 1920 e passando por algum problema que eu não entendi muito bem qual era porque nessa hora os candidatos já estavam na agulha, e a TV que passava a novela era pequena, só pra contar o tempo. Fiquei com saudades da Camila e da Olga Benário da Camila, mas a dramaturgia que se anunciava ali era de último capítulo e não dava pra respirar. Arena é arena.

Antes a Ana Paula Araújo já tinha falado que a gente não podia se manifestar. A gente, no caso, as torcidas. A essa hora, as cerca de 70 pessoas presentes no estúdio já estavam acomodadas, pra usar um termo técnico, digamos assim. De um lado, a galera do Marcelo Crivella, do outro, a turma do Marcelo Freixo, e, no meio, os jornalistas, os únicos, aliás, que obedeceram às recomendações da Ana Paula. Foi mal, Ana. Ah, tinha também os técnicos, ou os treinadores, ou os marqueteiros ou sei lá como se designa aquela gente que cochicha no ouvido dos candidatos e fica num lugarzinho entre a plateia e os lutadores, quer dizer, candidatos. A propósito, acho que a disposição dos lugares não deve ser muito diferente dos de uma luta de boxe, embora eu nunca tenha visto uma luta de boxe. Debates também não, era o meu primeiro.

Saí de casa às 8h da noite. Sozinha e dirigindo meu carango, fui de São Conrado a Curicica, onde ficam os estúdios do Projac, tentando esquecer tudo o que o HD tinha cristalizado de forma superficial na minha massa cinzenta: o chute da santa, o projeto de poder da Igreja Universal, minha amizade com Marcelo Freixo, o horror ao Garotinho, o preconceito classista contra os evangélicos – e aqui recomendo a leitura da sensacional coluna da minha colega de espaço no Segundo Caderno Ana Paula Lisboa, acerca do assunto, "Somos mais que ovelhas", na qual ela fala com substância sobre a sua história com a religião evangélica. Fui disposta a abandonar a polarização, o olhar viciado de cada dia. Quem sabe eu alcanço o lance do cara. O porquê de tantos eleitores.

Eu sou amiga do Marcelo Freixo. Nos conhecemos na preparação para o filme *Tropa de elite 2*. O personagem Fraga, feito por Irandhir Santos e marido da minha personagem Rosane, foi claramente inspirado em Marcelo. Ali fiquei sabendo de toda a sua trajetória, do professor de História ao mediador de conflitos em presídios – onde também alfabetizou muita gente –, passando por uma heroica batalha contra as milícias cariocas. Ou seja, sempre votei no Freixo, e me sinto completamente representada por ele, mas em nenhum momento ouvi de fato as propostas do adversário. Era uma oportunidade. Uma oportunidade pra mim, pra Joyce, pra Camila, pra Ana Paula, e pra todo mundo que tava ali, no estúdio ou em casa.

Estamos, e ainda bem!, em um movimento claramente feminista no país, de tomada de consciência de uma desigualdade que não tem mais lugar em 2016, e foi com gosto que me vi na plateia acompanhada da vereadora eleita Marielle e da candidata a coprefeita Luciana Boiteaux. O feminismo exercido pelos homens é bonito e necessário, e foi sobre o lugar da mulher a primeira questão discutida no debate.

Perguntado sobre seu posicionamento com relação às mulheres, e sobre quais seriam suas propostas pra diminuição da violência e da discriminação, Marcelo Crivela respondeu que está casado há trinta anos. Minha mulher é muito bem tratada, disse ele. "Cuido dela muito bem." Depois disso não ouvi mais nada. Todo o meu romantismo sobre estar presente em um debate foi por água abaixo. As 2 militâncias gritavam, várias outras acusações foram feitas, mas eu só ouvia uma frase: Minha mulher é muito bem tratada. Cuido dela muito bem.

Bom, a eleição acabou e meu candidato perdeu. Achei Crivella um Rolando Lero do mal, como disse uma amiga minha, mas agora é aguentar quatro anos e pronto, democracia é isso aí. Não entendo nada de política e não sei quais vão ser as consequências dessa gestão antiquada pra nossa cidade, mas uma coisa eu sei.

Joyce não quer ser cuidada. Camila não quer ser cuidada. Ana Paula não quer ser cuidada. Eu não quero ser cuidada.

A gente quer direitos iguais, visibilidade, decidir sobre o nosso corpo, colocar a roupa que a gente quiser.

E agora, Joyce, onde é a saída?

Maria

2016

P.S.: O jogo só acaba quando termina. Orgulho de perder ao teu lado, @marcelofreixo. Ganhamos muito mais que uma prefeitura. 🖤

Belchior

Filme: *A primeira noite de um homem* (Mike Nichols)
Música: "A palo seco" (Belchior)

Quando a Laís colocou no grupo de WhatsApp do nosso filme *Como nossos pais* que o Belchior tinha morrido, eu lembrei do Du. Laís, a Bodanzky, diretora de cinema, paulistana. E Du, o Moscovis, ator, carioca, pai de Gabi. Que, a propósito, não está no elenco do longa dirigido por ela e que estreia em agosto, mas isso não importa agora, assim como os DDDs, que também não importam, nem sei por que escrevi. "A gente não tem mais tempo", o Du tinha dito, simples como uma faca, uma semana antes da mensagem da Laís. Uma semana antes que seguia com uma sensação térmica de ontem. Uma semana antes, fazendo agora 7 dias e ainda mais presente depois do fim de semana. "A gente não tem mais tempo", ele disse. E foi buscar uma pipoca.

Eu tava numa pré-estreia, entrando pra ver *Vermelho russo*, filme novo e lindo do Charly Braun, e o "tempo em questão", naquele par de segundos girando no ponteiro do Espaço Unibanco – que não é mais Espaço Unibanco mas eu falo Espaço Unibanco pela memória afetiva e também por teimosia – não era nosso nem do Belchior, mas ali dizia respeito a um filme estranhíssimo feito por nós, Du e eu, e um grupo de amigos na véspera e sob a direção do mestre, gênio e octogenário Domingos Oliveira.

Está confuso, eu sei. O Belchior. A Laís. O Domingos. O tempo. Pronto, o tempo. Todas essas pessoas, cada uma a seu modo e sem necessariamente terem nada a ver umas com as outras, se encontraram na câmera lenta do meu HD como uma ampulheta da vida inteira. Agora, cada segundo desperdiçado parecia ser de todo mundo e de qualquer um: meu, da minha mãe de 70 e do meu filho de 7, das atrizes do filme, do compositor cearense, dos meninos mortos no Alemão, do rapaz que apanhou na manifestação, dos sobrados da Voluntários da Pátria, da brava e corajosa Cavideo do Humaitá, da minha escola na Visconde e Silva, da minha juventude no bairro. "A gente não tem mais tempo."

Fiquei triste e feliz na dose exata. Quer dizer, antes eu fui ouvir "A palo seco", e pensei que canção é um troço sério e que bom que o Bob Dylan ganhou o Nobel. Depois eu me dei conta de que dirigi um filme ingênuo e amador aos 25 anos, mas cujo nome é *Vinte e cinco* por causa "do sonho e do sangue e da América do Sul", e achei bom ser brasileira e viver agora. Que bom ser brasileira e viver agora, eu pensei, e quase disse. Que bom. Sim, eu sei que o Brasil deve muito e que a nossa situação econômica segue trágica e calamitosa, mas olha que beleza a gente aprendendo a protestar. #foratemer significa e significa muito. Olho pra Paulista e pra Cinelândia e me sinto aprendendo a ler.

Porque "Fora Temer!" é muito mais do que "Vá embora, Temer", explico pro meu filho mais velho. "Fora Temer" quer dizer:

1. quero a minha democracia a qualquer preço;
2. não há mais espaço para coronéis por aqui;

3. chega de assédio;
4. não existe em 2017 um ministério sem mulheres em seus quadros;
5. homofobia é crime;
6. racismo é crime;
7. machismo não sei se é crime mas deveria ser;
8. não são só 20 centavos;
9. não é só a economia.

Aliás, não é só um monte de coisa. Talvez seja a frase curta com mais mensagens subliminares de toda a história da língua portuguesa. "Fora Temer" é lindo, é eterno, é bom dia e boa noite, é eu te amo, é um mantra Jedi verde e amarelo, é a barricada dos poetas contra a produtividade como documento de identificação.

Porque um país que não valoriza seus velhos artistas – não sei se ainda pode usar a palavra "velho", mas idoso não uso nem que me paguem muito dinheiro –, um país que não valoriza seus velhos artistas... não tá certo. Um sujeito que escreve uma letra como *Como nossos pais* deveria ter o direito de se aposentar por justa causa. Justa letra. Uma coisa assim. Vou fazer esse cartaz.

Não fui à Cinelândia no feriado do Dia do Trabalhador e fiquei ouvindo o compositor cearense. Devia ter ido. A violência policial nos protestos é inadmissível e descabida, mas o descaso com os nossos poetas também é. Passei os últimos dias pensando que deveria ter agradecido ao Belchior por todas as vezes em que percebi que sou mais parecida com meus pais do que jamais supus, e que sorte a minha ter feito um filme com a diretora de *Bicho de sete cabeças,* cujo tema foi inspirado nas palavras do nosso Dylan do sertão.

Dizem os especialistas que daqui a dez anos 1/3 da nossa população será de velhos. Meu melhor amigo, o supracitado Domingos, que tem 80, diz que a luta é inglória, mas segue firme e se arriscando, tanto no cinema quanto no Leblon. Não pensa em morar em Lisboa nem em Miami. Como bem disse Belchior em sua última entrevista: "eu estou sempre voltando pro Brasil", ou, como disse agora o Du, "a gente não tem mais tempo".

Maria
2017

Flora e Gil

Filme: *Aquarius* (Kleber Mendonça Filho)
Música: "Lamento sertanejo" (Gilberto Gil)

    Sempre quis quase tudo nesta vida, mas, por ordem de importância, diria que ser correspondida no amor e fazer parte da mesa de jantar ocuparam, desde que me entendo por gente, o topo da pirâmide da minha lista de sentidos da existência e ideias de felicidade. Sou filha temporã, e a distância de dez anos para os meus irmãos mais velhos me deixou jantando sozinha na cozinha durante boa parte da minha infância. Sozinha, não. Vendo Joana e Lina às voltas com louças, panelas e travessas de prata, e discorrendo sobre novelas e gravações de novelas no bairro em que morávamos, tracei boa parte do meu destino, ao menos no que diz respeito à profissão que escolhi e às relações de trabalho que viria a estabelecer em minha casa de adulta. Entretanto, como às vezes a falta marca mais do que a presença – alô, Freud! –, o que deixei de viver virou exatamente meu projeto de existência reconfortante: 1 mesa, 1 vinho, 2 ou 3 questões a serem discutidas como se fossem duelo de morte, comida boa e simples, família grande.
    Porque, como, quando finalmente cresci, meu pai já não estava mais em casa e meus irmãos haviam ido morar em

outros países, minha reprodução particular da Santa Ceia ficou guardada numa nuvem primitiva – alô, Steve Jobs! –, esperando pra ser revivida quando eu enfim tivesse os 4 filhos, 2 cães e o marido espirituoso e magnético imaginados na adolescência e ainda sob o efeito de uma tal de Electra (ou será Antígona?). A composição familiar, não à toa idêntica à da minha progenitora, foi sendo protelada até o momento em que descobri que, diferentemente do que eu havia quase experimentado, o elenco do cenário da sala de jantar ideal – alô, Platão! – não precisava compartilhar o mesmo tipo sanguíneo, mas, sim, uma familiaridade mais doce e suave chamada identificação.

E assim o mar se abriu. Sou um ser de grupo. Gosto de gente, gosto de falar, gosto de ouvir, gosto de discordar, de mudar de ideia, de formular teses e antíteses, de criar polêmicas, de aprender, de dizer que não sei, mas que sou boa de aprender, de dizer que não sei e que não estou interessada em aprender, e sob o efeito de um feijão com farofa de banana entro em qualquer parada verbal, do excesso de carbono no ambiente à disputa do caraoquê/*reality Popstar*. Ainda não inventaram nada mais bonito do que a conversa franca e atenta. A turma é Jesus, e *as árvores somos nozes*.

Meu bando de Lampião começou com o teatro, onde fiz amigos definitivos e tive longas histórias de amor, e chegou ao ápice com a dupla de amigos Jorge Bastos Moreno e sua cozinheira Carlúcia. Na casa do jornalista, em volta da mesa mais farta que você possa imaginar, fui feliz como vislumbrava que poderia ter sido aos 8 anos diante da mesa dos meus pais na rua Joaquim Campos Porto, e me dei conta de que meu fechamento é Amizade Social Clube. É claro que nem sempre essa história acaba bem, e não me importo de dizer que demoro um tanto pra me recuperar de gente que pratica o descarte de pessoas, mas mesmo assim não mudo meu plano de jogo. O saldo do amor é positivo até nas goleadas, e quem não sabe perder que ouça Los Hermanos e não desça pro *play*.

Do contrário, o que dizer de um grupo de pessoas que, órfãs de um amigo que as reunia com enorme frequência e talento, passa a se encontrar, religiosamente, uma vez por semana? É no mínimo bonito esse nosso bloco de Carnaval.

No último sábado, Os Morenos – acho que foi João Vicente de Castro quem assim nos batizou – bateram ponto na casa de Flora e Gilberto Gil. Havia no ar um amor que nos foi deixado como legado e, ao mesmo tempo, como obrigação. Como se a graça recebida pelo convívio com o jornalista cuiabano tivesse que ser ampliada e difundida, como paz de Cristo e café do próximo. Marcella, Carolina, José, Pedro, João, Pretinho, Preta, Bela, Mariana, Sandra, Felipe, Renata, Lucinha, Ana, Paula, Miguel, Andreia... foram muitos os irmãos que ganhei na vida adulta.

Porque há muitos motivos pelos quais seres humanos se aproximam, mas nenhum deles é mais nobre do que a gratidão. E, se eu sinto falta de um passado que talvez nunca tenha existido a não ser na minha fantasia, o presente é um dia de sol embrulhado em laço de fita cor-de-rosa, entregue em mãos numa festa à tarde com música ao vivo e algum gim, bolo de chocolate e memórias coletivas de sete anos de uma amizade que nunca vai ficar pra trás.

Como no dia em que, caminhando pela rua Jardim Botânico em direção ao apartamento dele na Gávea, peguei uma chuva torrencial e cheguei chorando no apartamento 701, além de ensopar o tapete que eu mesma havia lhe dado de presente de aniversário no ano anterior, e que ele, gaiato, disse, cheio de dengo na voz: pelo menos vou poder jogar fora essa sua bota horrível... nunca vi uma moça tão elegante gostar tanto de usar sapato surrado... é pra se fazer de pobre? Não pode sofrer malvestida, meu amor...

Um humor é um humor. Minha sala de jantar em construção tem Jorge Bastos Moreno numa cabeceira e meu pai na outra, e com eles aqui dentro vou aprendendo a destrancar o coração e a cozinhar arroz de pato, ou, no mínimo, um arroz branco decente. Enquanto isso, de botas novas, compro cadeiras pra menina que eu fui e pra mulher que eu sou, torcendo pra que elas virem uma só, e que deixem a porta aberta...

Maria
2017

Para B.

Filme: *Amor* (Michael Haneke)
Música: "Me faz acreditar" (Dom L)

A gente se despediu com o pacto de não ficar longe um do outro por mais de dez dias. Sendo "a gente" o sujeito, e "se despediu com o pacto de não ficar longe um do outro por mais de dez dias" o predicado, já dava pra imaginar um placar desigual. Seis letras não têm como dar conta de 58, eu pensei, na época, embora não tenha dito nada. "A gente": 2 palavras curtas e inofensivas contra outras 14 palavras más e injustas, como "longe" e "despediu". Duas palavras curtas como sujeito – e todo o resto como predicado. Pior: todo o resto, uma pena. "A gente" perdeu. "A gente", no caso, poderia ser uma coisa menos pessoal e mais brechtiana, tipo: a gente de Mariana ainda sofre com o descaso, ou, a gente da Rocinha continua sem a biblioteca municipal, ou, nem toda a gente do Sudeste vai conseguir se vacinar a tempo contra a febre amarela, mas aqui, na minha pequena frase particular, quer dizer, na minha oração egoísta, a gente é a gente mesmo, o que torna tudo ainda mais frágil, muito além da matemática.

Porque você e eu somos só 2 pessoas, e às vezes falta a plateia. Mentira. Que 2 pessoas nunca são 2 pessoas, mesmo que sejam. Sempre tem o pai e a mãe junto, os ex-amores, e sempre pode ter algum filho ou amigo, isso sem falar nas projeções. No seu caso, tem, sobretudo, uma mãe. Não, "uma" não é exatamente o artigo correto em se tratando da sua genitora. Sua mãe é uma multidão, um exército, uma religião. Sua mãe é a avenida Paulista e a torcida do Flamengo juntas. Sua mãe tornou uma palavra de 3 letras um hemograma completo do nosso sangue com 200 páginas escritas em latim, e eu não sei se isso é um elogio ou uma queixa.

Mas não é só culpa dela. Pessoas têm um material vulnerável. Ao contrário dos objetos, e até da gramática, concreta, apolínea e exata – salvo quando falamos de sujeito oculto –, seres humanos são passíveis de atropelamento, câncer, asfixia, medo, *likes* no Instagram, vergonha, *directs*, e até de portas erradas. Quando eu olhei pra você, eu já sabia: 1 – das análises combinatórias um tanto duvidosas, 2 – do amor pelas camisetas iguais, fingindo simplicidade quando no fundo era arrogância, 3 – da inconsistência dos teus laços, a não ser os de origem, 4 – do teu preconceito com peças de teatro com mais de duas horas, 5 – do teu português impecável disfarçado de "não tô nem aí pra isso", e 6 – do teu engajamento ingênuo dividindo o mundo em 2, de modo a te definir como um cara bom e do lado certo, como se isso existisse. Enfim. O que eu quero dizer é que posso te acusar de tudo, menos de propaganda enganosa. Você avisou de cara que você era quem você era. Mas – e isso eu te disse no primeiro dia – "ser" talvez seja o artigo mais desnecessário e obsoleto do amor. Eu sou você até hoje, e duvido que você não seja eu pelo menos um pouco. Eu sou você até hoje, e tenho espaço, inclusive, pro você que você virou longe de mim. Me conta? Do seu novo você?

Do lado de cá, eu tô cheia de novidades. A melhor delas é que agora eu gosto de Carnaval. Acredita? Pois é. De novo aquele papo de não ser. Fui no Bloco do Baixo Augusta no último domingo e foi das coisas mais emocionantes que já vivi. Aquele país da Consolação não tem como não dar certo. Uma rua imortalizada por Tom Zé e em seguida pelo Carnaval, sim, com maiúscula – que minha caixa-alta é rebelde e seletiva – deveria ser o recomeço da nossa terra brasilis. Primeiro, Vera Cruz, Bahia, depois, Consolação, São Paulo. Eu não sabia que Dionísio era político, nem que o nosso hino nacional era uma canção do Belchior. É, e é lindo que seja. O espaço público ser ocupado assim, por gente cantando Caetano e Novos Baianos, dá vontade de acordar no dia seguinte. Um milhão de pessoas estavam juntas sobrevivendo ao Temer. Um milhão, que nem os amigos do Roberto Carlos, só que sem o azul. Um milhão de pessoas vendo Maria Rita encontrar Elis, e amando as duas, e vendo as duas se amarem, as duas juntas de novo, matando as saudades naqueles poucos minutos.

Outra coisa é que essa semana minha mãe fez 80 anos, e alguma coisa aconteceu aqui comigo. Ainda não identifiquei o que é, mas com certeza o eu que eu virei longe de você recebeu uma camada de ternura que antes não existia, pelo menos nesse lugar. Então é isso. Tem outras coisas também, como o João tocando violão lindamente, e o Bento escrevendo histórias emocionantes, mas isso eu te conto pessoalmente um dia qualquer, e se você quiser ouvir.

Desde que a gente se despediu com o pacto de não ficar longe um do outro por mais de dez dias, já se passaram mais de cem, mas isso não importa muito. Você existe no mundo e a sua existência basta, e o nosso "a gente" vale muito menos do que os outros, impessoais. Até porque, e isso sim é triste, a gente de Mariana ainda sofre com o descaso, a gente da Rocinha continua sem sua biblioteca municipal, e nem toda a gente do Sudeste vai conseguir se vacinar a tempo contra a febre amarela.

2017

Steve Jobs e Cleo Pires

Filme: *9 canções* (Michael Winterbottom)
Música: "Deusa do amor" (Olodum)

Caro Steve,
Se você não tivesse inventado o iPhone eu não estaria aqui. Ter uma câmera quase como extensão do corpo, e poder mandar o seu próprio *nude* pro *boy* – ou pra si, o que é quase melhor –, isso, confesso, foi o primeiro exercício. Então a culpa é praticamente toda sua.

Tudo bem que antes disso o Freud já tinha feito aquele favor imenso à humanidade falando que "tudo é sexo" e que isso não é feio, de modo que se você quiser dar uma sensualizadazinha vez ou outra por aí não tem problema, você não vai pro inferno, ou, se for, vai em boa companhia.

E teve também a *Playboy* da Alessandra Negrini, que me deixou com inveja, e a primeira *Trip* da Luana Piovani, que me deixou emocionada. Como elas tiveram coragem?, eu pensava.

Aí veio o Instagram e a Cleo Pires – com aquele mix inacreditável da mandíbula do Fábio Jr., cabelo da Glória Pires e coragem de Leila Diniz – passou a jogar na minha cara quase que diariamente a minha repressão. Fiz de tudo para que meus *nudes* vazassem: perdi vários celulares, usei redes de lanchonetes, esqueci o *laptop* em dois hotéis, mas nada.

Então eu achei que não seria nessa vida que eu faria essa transgressão. Essa, de posar pelada. Tudo bem, eu pensei. Porque eu já tinha desistido. Eu já tinha desistido quando meu amigo Jorge Bispo resolveu criar uma revista, Steve. Uma revista só dele, sem anúncio de carro na contracapa, sem piadas machistas, com uma tiragem pequena, só gente legal. Legal e gostosa, aliás. Bruna Linzmeyer, pra quem eu poderia passar a vida olhando, Kike e Mariana, com quem gostaria de fazer uma peça e uma sauna, e Maria Flor, minha eu melhorada, minha amiga, minha musa.

Pronto. Posei pelada. Amei. Agradeço ao uísque, ao feminismo, e a você, Steve. Muito provavelmente você pensou em causas mais nobres na hora de criar o iPhone, mas, lamento muito, essa conta é sua também. E não sei se você tá acompanhando aí de cima. Peladas somos mais fortes.

Com amor,
Maria
2017

Chico Buarque, SMS

Filme: *Entreatos* (João Moreira Salles)
Música: "Noite dos mascarados" (Chico Buarque)

Oi, Chico,
Fiquei sabendo aqui pela mulher sentada ao meu lado que você tá no avião. Fiquei meio tensa e meio feliz. Acho que vou te mandar um torpedo pela aeromoça. Desculpa aê a cantada, mas é que parece que você não está acompanhado, e, sei lá, fiquei pensando que talvez seja a única chance da gente passar uma noite junto... na verdade eu já sabia pelo Dinho que você também tava em Paris e fantasiei te encontrar no mercado comprando *haricots verts*, só que não rolou... ah, já ia me esquecendo, me chamo Maria. Prazer. Tô na 35A.

Chico,
A aeromoça disse que não está autorizada a levar bilhetes para a sua área do avião. Então eu falei – em francês, viu? – ok, querida, eu mesma levo. *Je le ferais moi-même*. Aí ela ficou 10 vezes mais grossa e disse que eu também não poderia entrar na sua área do avião. Poxa, Chico, nunca a luta de classes bateu tão forte aqui... Aproveitei a revolta e perguntei se seria diferente se eu também estivesse na classe executiva. Ela ficou

brava e saiu sem falar nada, só dando aquelas bufadas típicas dos franceses. Vou tomar um Frontal.

Chico,
São 4h da manhã e ainda não consegui dormir. A econômica dá caráter, mas de fato dormir vira uma tarefa impossível, e olha que eu já tomei 2 Frontais e um Rivotril. Será que você tem Stilnox? Ou Dormonid? Esses eu nunca tomei...
2017

Chico Buarque 2

Você diz que eu sou a mulher da sua vida e me oferece o seu coração, mas eu só queria um espresso duplo e meia laranja-lima. Você tatua o meu nome no seu braço, e me escreve letras de música, mas eu ia ficar feliz se você topasse um cinema à tarde. Você me chama no Skype e mostra a sua coleção de discos do Miles Davis, acontece que eu entrei numas de telefone fixo e, heresia máxima, nunca gostei de *jazz*. Eu sei, eu demoro, desculpa. Não é por querer. Quer dizer, por não querer. O caso aqui é incapacidade, e talvez um pouco de preguiça, pra não dizer medo. O caso aqui é que ando gostando de amar baixinho, por mais que tente aumentar o som.

E eu tento, viu? Até pra Bahia eu fui. E no Ano-Novo... Há anos ouço o chamado "Bahia" e "Ano-Novo" – uma música à qual sempre me recusei a dançar – e nunca tinha ido, talvez exatamente por isso. Mas, como "ser" é coisa pra Hamlet ou Detran, e eu rezo todo dia pro *Deus mu dança* do meu vizinho Gilberto Gil, decidi adentrar 2018 com um

Instagram ostensivo. Quem disse que eu não gosto de praia? Onde tá escrito que eu não tenho turma? Eu tava no Espelho, companheiro. Eu pertenço, minha irmã. Tudo bem, eu não falo "minha irmã". Ok, eu fui dormir à 1 da matina. Não, eu não fiquei bêbada. Entretanto, sim, eu tava numa praia *cool*; contudo, sim, eu levei maiôs estilosos; e, todavia, sim, eu postei fotos ótimas com legendas espirituosas entre o *pop* e o inteligentinho.

Mas, se a mim, a personagem festiva não convence, a você ela cabe com exatidão. Meu Gainsbourg surfista tem horta orgânica e faz seu próprio cigarro. Meu samurai das letras é discreto e quase simples, e confunde profundidade com arrogância. Sim, poeta, meu afeto é muitas vezes agressivo – e peço perdão se exagero – mas a verdade é que você também gosta do John Lennon pré-Ioko Ono, e às vezes sente falta do Baixo Gávea do final dos anos 1990, e é esse teu pedaço que me diz à carne. E o que você não entende, no teu mundo onde só existe a troca no modo "você falando e quem quer que seja ouvindo", é que ver o outro de verdade é como amar e ser livre, com a vantagem de, nesse caso, isso não ser, de modo algum e muito pelo contrário, uma divergência.

Por isso o Chico Buarque, poeta. Porque, se eu realmente fosse a mulher da sua vida, se você de fato me amasse como diz que me ama, se você olhasse pra mim com o selo de pureza que cola no peito, jamais se incomodaria com o Chico. Jamais. Porque o fato de estar namorando o Chico não significaria você não caber no meu peito. Significaria, antes, que, nesse momento em que ainda estou, vela nas mãos à la Amyr Klink, com os olhos atentos na direção do vento – leste e sudoeste se revezando de forma esquizofrênica –, ele é sem dúvida alguma o parceiro ideal.

Chico jamais reclamaria que eu perdi o passaporte e por isso não viajei pra passar a virada com ele, como aliás não reclamou. Em nenhuma hipótese cobraria eu não ter visto o clipe de "Vai, Malandra" e nem visto o sol nascer – minha festa foi junto à biografia do brasileiro Jorge Mautner – e, quer saber?, ficaria até orgulhoso do meu jeitão assim meio Casmurro. O que não quer dizer que a gente não possa ser feliz, poeta. O que não quer dizer que a gente não seja um casal. Somos, e somos desde o primeiro dia em que nos vimos, mas meu fechamento agora é com o bloco do Tipo Sanguíneo. Meu *emoji* de coração tá dando um tempo do vermelho, porque tem gente minha se despedindo da festa, e gente minha tentando entrar.

Portanto, nem o clipe da Anitta, nem a raiva do Crivella, nem o fechamento da Casa da Jongo da Serrinha, nem o discurso lindo da Oprah, nem a presença de espírito da Natalie Portman, nem a ordem – ou desordem – da fila dos julgamentos da Lava Jato, nem a morte do Cony, e, por ora, nem o amor. Só o do Chico Buarque. Porque o Chico, poeta, o Chico não me cobra nada, e ao mesmo tempo, tem um *je ne sais quoi* que me deixa apaixonada e fiel a ele há pelo menos 20 anos. Mentira, o *je ne sais quoi*. Porque sei exatamente o que o meu namorado tem, e não são os olhos verdes.

Em tempos líquidos, como bem disse o saudoso Bauman – eu cito, sim, foi mal aí –, meu Chico é um pilotis de concreto com árvore perto. Não adere a modismos, não abre mão da sua história, não se exibe com sua outra namorada – eu, assim como ele, também sou a favor de alguma liberdade – e, principalmente, não me obriga a estar alerta. Esse pequeno descanso, de saber que no mundo há alguém ali em quem se possa confiar, com quem se possa deixar a chave de casa e as crianças, ah, isso é amor profundo.

Fui ver meu namorado no palco semana passada, e sabe o mais lindo? Ele continua com pudor. A essa altura, acredita? Tão bonitinho... A solidez de uma alma coerente é das coisas mais comoventes desse mundo, e alimenta um teatro inteiro de vontade de viver. Chico, ainda bem que você existe. Fica igual pra sempre?

Maria

2018

Barbara Gancia

Filme: *Faça a coisa certa* (Spike Lee)
Música: "Mr. Brightside" (The Killers)

Barbara,
Depois do nosso telefonema fiquei aqui pensando… Há malas que vêm de trem. Foi golpe, claro, tá duro, claro, mas olha só a turma de 2017: Trump, Doria e Bia, Romero B., Crivella e Garotinha, Michelzão e Marcelinha, a gente não ia poder falar nada, italiana. Tudo bem que eles podiam ter sido mais elegantes, e, principalmente, mais honestos. Elas, no caso. Muito louco a gente ficar quatro anos bradando a sororidade – ainda acho a palavra péssima, foneticamente falando – e não receber nenhuma de uma equipe composta ex-clu-si-va-men-te por mulheres. Até agora, uma semana depois do *call* (ai, que cafona!) das chefas em que fui "dispensada", só a Gabi da produção me mandou uma mensagem. Um cadim triste e contraditório, mas bora lá. Sempre podemos colocar a culpa na neurociência, ou ainda divulgar a pesquisa da Universidade de Wisconsin que afirma que poder e festas de fim de ano juntos bloqueiam os neurônios responsáveis pelo caráter. Hahaha. É rindo que se castiga mais, companheira. Não temos sofá mas temos Bergson.
Ontem vi no Twitter um *post* que dizia que quase saímos no tapa e que por isso fomos *impeachadas*. Quer dizer, isso eu

é que tô falando, *impeachadas*. Primeiro fiquei puta e depois achei muito engraçado. Acho que é uma boa história pro nosso currículo, e que a gente não deve negar, não. O importante é decidir quem ganhou e se fizemos o estilo novela do Manoel Carlos, com puxão de cabelo e gritos histéricos, ou se fomos mais *profissas*, tipo *Karate kid*, ou *Kill Bill*. Independentemente do estilo da luta, acho que o mais correto seria dar o crédito da vitória à minha pessoa. Como dramaturgia acho mais interessante, sou mais baixinha, mas se você fizer muita questão do título a gente pode discutir a questão.

Falando em discutir a questão, fiquei pensando num programa pra nós duas. Seria assim: 4 mulheres (podemos chamar a Eliane Dias, gênia e mulher do Mano Brown, e uma mina mais nova e com uma cabeça bem diferente da nossa) em volta de uma mesa – pra gente poder ficar mexendo no celular enquanto fala e comer 7 Belo e não precisar esconder as colas atrás de almofadas – discutindo tudo aquilo que a gente discutia no nosso finado *Saia*, incluindo política!, só que sendo o-bri-ga-da a discordar. Como exercício do pensamento mesmo. Uma coisa virando outra coisa e depois uma terceira. Dialética, né, isso? Ajuda aí, que você é bem mais culta que eu...

De qualquer forma, juntas ou separadas, eu queria te dizer que foi a maior honra fazer dupla com você. Pintamos e bordamos, com luxo.

Lembro como se fosse hoje do dia da gravação do teste – 5 de dezembro de 2012. Eu não conhecia você, nem a Mônica, nem a Astrid, mas meu motivo de tensão era a vossa excelência. Eu sabia que você era amiga do Fernando Zarif e tinha no HD todas as colunas da *Folha*, ou seja, te admirava pacas e também morria de medo. Você me deu uma zoada no programa – com razão – porque eu mandei um Dostoiévski num acento russo, e mesmo com uma puta taquicardia ali eu pensei: vamos ser felizes, Barbara e eu. Temos o mesmo *chip* da provocação, do sarcasmo, do amor pela inteligência. Viemos do mesmo planeta. Eu fico muito feliz quando alguém fala uma coisa foda. E você falou várias. Aprendi pra caralho. Hashtag gratidão.

Óbvio que tivemos nossos desentendimentos. Dois, pra ser exata. Em quatro anos? Porra, tamo analisada "no urtimo", média excelente. Do jeito que somos transparentes e impulsivas? Nota 10, e aqui quem falou foi aquele cara das escolas de samba do Rio. Sem falar que a gente ficava de mau uma semana e na outra já tava louca pra fazer as pazes. Que nem novela... Não somos profissionais da categoria "fazer amizade asséptica na televisão". Ainda bem.

Nesses mil e tantos dias eu perdi o meu pai e você a sua mãe, você tomou aquela de direita do seu grande amigo, eu também dei umas apanhadas aqui, mas juntas a gente evoluiu pacas. Você foi ficando cada vez mais calma, e eu tenho a impressão de que virei um *Homo sapiens* melhor, mais situado politicamente e com um olhar mais amplo... Pelo menos tô adquirindo menos (piada interna...) e com mais dificuldade de ler a *Vogue*... rsrs.

Enfim, Babe, eu já imaginava. Quando recebemos aquela chamada porque detonamos a tal escola de princesas, vi que o negócio tava triste. Mas ó: vamos falar a real? Falamos pra caramba, não sei como nos deixaram tanto tempo...

Mas uma coisa é o nosso programa, que acabou. Nossa história é pra sempre e ficou ainda mais fodona depois que tomamos juntas esse pé na bunda nacional. Eu nunca vou esquecer de você chorando falando do seu professor de Literatura, nunca vou esquecer do 7 a 1 que vimos na sua casa, nunca vou esquecer do seu amor pela rainha da Inglaterra, nunca vou esquecer do *post* que você fez do meu pai e do Paulo Francis quando perdi meu progenitor, e nunca vou esquecer que vivemos uma troca linda e fodida – nós duas e também Mônica e Astrid. Foram quatro anos de segundas-feiras extremamente felizes, um anti-Garfield que vai ficar pra sempre. E não é porque na saída deu meio ruim na delicadeza da chefia que a gente não vai guardar a mão dada no caminho todo. Nem todo mundo sabe terminar casamento, é difícil mesmo.

Agora vou parar com esse sentimentalismo ridículo que o meu lance é discordar, discutir, complicar, e confundir, à la Tom Zé. E a gente é galo de briga e passarinho do Quintana.

Obrigada por tudo, Bá. Bora pro segundo tempo, santista. Orgulho de tudo.

Um beijo tenenbaum de aristocracia decadente pra aristocracia decadente,

Maria

2017

Maria Flor

Filme: *Proibido proibir* (Jorge Durán)
Música: "Maria de verdade" (Marisa Monte)

A primeira vez que eu vi a Flor foi por conta de ser Maria. Nosso nome comum nos juntou numa foto como se o destino dissesse: vão, Marias, ser gauches na vida. Ela era uma mulher ainda com a menina, as duas juntas naquele instante dos quase 20, mas já dava pra ver que aquele par de zoios pretos mancomunados com aqueles cachos e com aquela boca, aquilo não tinha escapatória. Era a dose forte e lenta da voz do Milton, uma promessa boa de cumprir, uma viagem marcada pras Maldivas. Isso tudo nos idos de 2003: Motorola tijolão, Baixo Gávea segunda-feira, ela fazendo *Malhação*.

Depois veio o cinema, e na tela grande a coisa piorou. De novo os cachos, a boca, os olhos, e agora tudo enorme. Nunca vou esquecer de uma cena em que a Flor dançava funk, acho que o filme era da Lúcia Murat. Pare tudo o que você estiver fazendo agora e dê esse Google. De nada. E depois ela fez *Pode crer*, *Proibido proibir*, *O Diabo a quatro*, e ainda andou de avião com o Anthony Hopkins – quer dizer, a filha da puta ainda atua em inglês. Parece que o Hannibal Lecter, aliás, nunca se recuperou por completo.

Ainda teve o Los Hermanos. Éramos fãs, as duas, como se fôssemos o outro eu uma da outra. Nós nos encontramos no Canecão, no cine Íris, na Fundição. Tudo sem combinar. As revistas nos confundiam e trocavam nossas legendas, olha que sorte a minha. Vão, Marias, ser gauches na vida.

E agora ela cortou o cabelo, e quis ficar pelada. E me pediu pra escrever 2 ou 3 palavras. E quase me fez bater de carro, porque o Bispo não tem noção e me mandou a foto da capa por WhatsApp.

Flor, eu podia falar da nossa amizade. Podia também contar que já tive muito ciúmes de você – par romântico oficial do Caio por anos e anos – e podia descrever o privilégio que é dividir essa vida *loka* com a sua doçura. Mas agora não vai dar. Você incluiu peito e bunda na configuração boca, zoios pretos e cachos, e infelizmente eu não sou mais capaz de juntar sujeito com predicado diante desse ensaio, de modo que não vou poder escrever porque acabei de me apaixonar.

Desculpa aí.

Maria

2016

Tati Bernardi

Filme: *Noivo neurótico, noiva nervosa* (Woody Allen)
Música: "O pulso" (Titãs)

Tati,
Eu já tava com o cara há uns dois anos. Ele tinha meio que vergonha de me dar a mão no Baixo Gávea porque de fato, um homem de 40 com uma mina de 20 é meio cafona e lugar-comum, e isso é conceito e não preconceito. Também tinha a parada de morar junto: ele não queria, tava meio ainda no trauma da separação, achava que o dia a dia estragava tudo. Ah, e também tinha a coisa de casar. Ele achava que não precisava. E que aliança podia ser perigoso, não sei quem que ele conhecia que tinha perdido o dedo porque a aliança enganchou na lancha. Isso porque ele tinha medo de mar e, megapetista, não andava de lancha. Bom, tudo isso pra dizer que, apesar das evidências, eu juro que ele gostava de mim!, e sabe como eu descobri? Sim, ela, a temida, maravilhosa, e salvadora de casamentos, endoscopia!!!! Ou seja, se você não consegue dizer o que sente pra alguém, seja marido, ou mãe, ou um diretor mala que toda hora quer mexer no seu roteiro, leve este ser humano para fazer uma endoscopia. Era um tal de "eu te amo" e "você é o amor da minha vida", "desculpa se sou meio travado, a infância em Sorocaba foi marcante",

"eu gosto do seu pai apesar de tudo", "sua família é burguesa, mas só o amor importa"… Olha, anos de análise em uma morfininha fofa. Foi meu programa favorito durante anos, e sem ele meu filho João não existiria… enfim, espero que o Paulo não se incomode com a exposição dos seus problemas gastrointestinais, mas é que tô no *mode* sororidade e não podia deixar de te dar esse toque.

Maria
2016

Silvio Santos e Zé Celso

Filme: *Quem quer ser um milionário?* (Danny Boyle)
Música: "Pobre paulista" (Ira!)

    Eu era menina e você já estava lá: distribuindo dinheiro, vendendo carnês do Baú da Felicidade, autorizando e institucionalizando o *bullying* na TV. Eu achava divertido, cantava o lalalá da Sônia Lima e da Aracy de Almeida, emendava com a novela *Os ricos também choram* – a preferida da minha babá Joana –, mas confesso que o meu verdadeiro lance sempre foi com o Pablo, o *avant*-Vittar, aquele que aparecia com o rosto cheio de purpurina e dançando com as mãos *à la* Sidney Magal, dizendo finalmente qual era a música. E a música, embora eu esteja me referindo aqui aos anos 1980, é a mesma há algum tempo, senhor Abravanel. É um disco arranhado há anos e que continuará manchando sua biografia indeterminadamente a não ser que você (o "senhor" continha ironia) preste atenção e se dê conta da grandeza da letra (e quem sabe da existência) desse clássico do Festival da Canção: "Pra não dizer que não falei (aqui entra minha coautoria) do Oficina".
    Caminhando e cantando e seguindo a canção, e também dançando, porque um pouco de gaiatice não faz mal a ninguém (nem ao icônico hino de Geraldo Vandré), José Celso Martinez Corrêa vem brigando – não, desculpe, brigando não

é a palavra, soa menor. Enfrentando é mais adequado (porque aqui tem capa e espada, aqui tem Cacilda Becker tendo um derrame em cena aberta). Como um herói medieval diante de um dragão de 2 cabeças, como um Corisco que não se entrega nem diante de um exército inteiro, como um guerrilheiro da Revolução dos Cravos – aquela das flores no cano das armas –, nosso "Dionísio" José Celso vem há mais de trinta anos enfrentando um dos homens mais poderosos do Brasil por um pedaço de terra no bairro do Bixiga, em São Paulo, Terra Brasilis. Trin-ta anos, *pipol*.

E a conta não é só essa. O Teatro Oficina tem mais de sessenta anos – portanto, é o grupo de teatro mais antigo do Brasil – e não tem planos de deixar de existir. Já o diretor e dramaturgo, hoje com 80 primaveras, e o célebre apresentador, com 86, não viverão pra sempre. Ou seja, estamos falando de legado. Futuro. Do passado, pra quem não acompanhou a novela, eis aqui o enredo resumido: com a compra de boa parte dos imóveis da região do Bixiga há pouco mais de trinta anos pelo Homem do Baú, Oficina incluído aí, muitos casarios foram demolidos, e os que sobreviveram passaram a pagar aluguel para o apresentador, caso do teatro aqui defendido. Por sua importância histórica e também por ser um projeto da premiada arquiteta Lina Bo Bardi, o diretor, sem condições de comprar o lugar, conseguiu então o tombamento e a desapropriação do teatro, ficando a disputa "reduzida" ao terreno em volta do Oficina.

Acontece que uma das grandes belezas do projeto consiste justamente na "interação com a cidade" – obrigada pelo mantra, Paulo Mendes da Rocha – através de uma enorme janela de vidro. O projeto de Silvio Santos – erguer 3 torres residenciais em volta do Oficina – impediria a vista, encaixotaria o teatro e descaracterizaria um dos lugares mais típicos de São Paulo.

Isso é a parte técnica. No que a mim diz respeito, que são pessoas – essa categoria analógica e imperfeita –, estou desde domingo digerindo a conta-gotas o vídeo que a *TV Folha* colocou no ar a respeito do impasse imobiliário. Numa reunião sob os domínios do apresentador, vemos Silvio Santos, José Celso, João Doria e Eduardo Suplicy, acompanhados de seus devidos assessores e da arquiteta com o projeto e a proposta do Oficina para a ocupação do terreno. Uma copeira serve café no fundo da cena. Doria finge fazer um meio de campo – ou talvez acredite estar fazendo, não sei o que é pior – e, entre risadas mansas mais violentas do que golpes de MMA, usa termos em inglês para se referir ao empreendimento sugerido pelo apresentador (será que o prefeito sabe que o inglês *The Guardian* elegeu o Oficina o teatro mais importante do mundo?). Já Silvio Santos se comporta como se estivesse em seu programa de calouros. Chama o dramaturgo de sonhador, diz que não tem culpa por ser rico (às custas de outros "sonhadores", dos quais zomba e a quem oferece dinheiro, vale lembrar) e se diverte fazendo piada com uma das maiores tragédias de São Paulo, a Cracolândia.

Eu tinha carinho por Silvio Santos. No meu HD da infância, entre Lídia Brondi e Lauro Corona, ele morava num lugar de enorme afeto que era a cozinha da casa dos meus pais. Na minha inocência, eu ficava feliz pela gente que dali saía com alguma chance de comprar uma casa ou ser cantor. Era uma gente humilde, muitas vezes em busca de um olhar que a legitimasse de um jeito que o CPF não faz.

Outro dia descobri a origem etimológica da palavra "humilde". Húmus. Terra. Humilde vem de terra, essa coisa básica à qual muitos ainda não têm direito. Não é lindo? E viva Caetano Veloso e Paula Lavigne, que marcharam segunda-feira em São Bernardo do Campo, ao lado de Guilherme Boulos, do MTST. Caetano foi impedido de fazer o show, mas seus versos seguem firmes na cabeça de muitos que, como eu, não abrem mão de seus princípios pela "grana que ergue e destrói coisas belas".

Quem quer dinheiro?
Maria
2017

João

Filme: *Imensidão azul* (Luc Besson)
Música: "Dois" (Tiê)

Uma vez a gente brigou por causa de *emoji*s. Porque você não usava de jeito nenhum. Dizia que era bobo, infantil. No máximo pegava os dois-pontos – ou o ponto e vírgula – e colocava o parêntesis que fica à direita do teclado logo abaixo deles quando queria dizer que tava contente, ou com o parêntesis da esquerda quando queria dizer que tava triste. Não que parêntesis tenham sido feitos para serem usados separados. O sentido original deles (alô, professor Pasquale!) é acrescentar à frase uma informação que poderia não estar ali, mas que, por acaso, está (mentira, nada é por acaso) e, que, por delicadeza, "se faz" de desimportante pra não pesar a sentença. Pra suavizar a vida. Tipo a gente, que nunca abandonou a categoria de coadjuvante pra virar artista principal, jamais se chamou pelo nome, e nem depois de tantos anos alcançou o *status* de uma letra maiúscula ou a elegância de um travessão. A gente gostava do nosso apelido.

Acontece – e acho que isso você não sabe – que a desimportância é um lugar alto e, portanto, dificílimo de alcançar, e, assim como os parêntesis, deve ter esgotado a gravidade da informação pra alcançar a leveza do acréscimo. Tipo Manoel de Barros, sabe? Talvez não esteja sendo clara. Tipo sobremesa, fim de semana, crédito de filme. Ainda não? Tipo a água de coco depois da bicicleta, feriado na quarta, Sedex inesperado com presente dentro. Tipo chocolate guardado pra ver o último capítulo de uma série, ter coragem de falar a verdade, continuar gostando depois de conhecer os defeitos. Tipo ser adulto e achar bom. Tipo amor. Merecimento. Ler junto e em silêncio.

Você também não montava árvore de Natal. A sua família nunca ligou pro aniversário de Cristo e você aprendeu assim. Que gostar – ou não – das festas de dezembro é genético e que a gente deve repetir os padrões pra não ter que pensar muito. E eu, que discordo de você em quase tudo – e nossa história era bonita por isso –, sou obrigada a confessar que essa era uma característica sua que eu amava, embora eu não tenha esse desprendimento e me preocupe de forma matemática em deixar lembranças natalinas que fiquem pra sempre gravadas na pele dos meus meninos.

Mas você me fez gostar de Joatinga. Foi comigo pra um *spa* de *playboy* em São Paulo. Me ensinou a usar panos indianos e abajur no banheiro. E ouviu com paciência tudo o que eu escrevi durante muito tempo (porque eu sou um pouco egoísta e autocentrada e gosto de ler alto o que eu escrevo, mesmo sabendo que é chato pra outra pessoa ter que ouvir...). Eu prefiro pensar que eu também te ensinei uma coisa ou outra. Mesmo que seja uma coisa boba. Você quase não postava foto de gente e agora posta (até demais...). Você não fazia análise e fez um pouquinho (durante uns dois meses... rsrs). Você não conhecia o último disco da Céu e depois se apaixonou. Você não pegava a bala do Uber. Você não sabia que o *emoji* do raio significava uma coisa boa e não uma tempestade (se bem que agora tem o David Bowie, de forma que o raio ficou um pouco obsoleto...). Você não sabia, e talvez não saiba até hoje, que eu sou feita de você. Mesmo que a gente não se veja nunca mais.

É claro que essa coluna não tem nenhuma relevância a não ser pra mim mesma. Que, com certeza, Carmem Verônica, musa máxima do jornal O Globo e minha verdadeira chefa nesse periódico, vai ser obrigada a me encaminhar vários e-mails desaforados perguntando o porquê de não termos uma colunista séria – em vez de uma atriz que se acha escritora –, falando sobre a tragédia na Somália, os incêndios na Europa ou tantas questões sérias do nosso país e da nossa cidade à espera de uma luz ou de um colo verbal.

De fato, eu poderia comentar 2 filmes incríveis que vi no Festival do Rio. *Aos teus olhos*, da Carolina Jabor, sobre um professor de natação linchado nas redes sociais acusado de pedofilia e à mercê dessa coisa mais frágil do mundo chamada verdade (ou ponto de vista, pra quem é um pouco mais esperto), e *Severina*, do Felipe Hirsch, história de amor entre um livreiro (melhor categoria de pessoa número 1) e uma ladra de livros (melhor categoria de pessoa número 2). Eu também poderia falar mal do Doria, do Temer e do Crivella, porque isso sempre me dá um calorzinho de bolo de avó e assim acabo diminuindo o Frontal. Mas eu quis falar de parêntesis.

O recheio pode ser grande ou pequeno, feliz ou triste, tolo ou grave (aqui, por exemplo, eu poderia perguntar se você cortou o cabelo ou se tem comido muito chocolate, o que caracterizaria esse parêntese como grande e tolo). Não importa (pequeno e triste). Eu não te vejo há alguns meses e não sei se você tá sorrindo assim :) ou se tá chorando assim :(...

Eu não sei nada. Sei que você aprendeu a usar *emojis* e a se exibir no Instagram, mas que, de tantos corações distribuídos por aí, tem um aqui sentindo a sua falta.
Maria
2017

Osvaldo placa RFT6540

Filme: *Conduzindo Miss Daisy* (Bruce Beresford)
Música: "Passageiro" (Rodrigo Maranhão)

"Nem sempre a gente sabe o que tá filmando." Essa frase, dita em *off* por João Moreira Salles em uma das primeiras cenas do documentário *No intenso agora*, escrito e dirigido por ele, poderia ter seu último verbo substituído *ad infinitum* por quase todas as outras. Mas talvez apenas na arte se encontre um lugar onde a dúvida é 100% bem-vinda. A gente vive a vida progressivamente, mas só a entende olhando pra trás. Tinha essa citação – de algum filósofo cujo nome lembrarei até o fim desse texto – escrita em alguma agenda dos anos 1990. É difícil saber o porquê das escolhas com o verbo em pleno gerúndio. Nem sempre a gente sabe o que tá fazendo.

No Uber, indo fazer a matrícula da escola nova do meu filho, Osvaldo placa RFT6540 me pergunta se tenho uma estação de rádio de preferência. Não sei (eu penso). O ar-condicionado tá bom? Não sei (eu digo). A senhora conhece um caminho mais rápido? Não sei (eu choro). Vou pelo Waze?, ele continua. Oi? Não é o natural, Osvaldo? Qual a outra opção? Ir pelo Spotify? Eu não sei nada, companheiro. Não sei se vou ser feliz, não sei se corto o cabelo, não sei se escrevo um romance, não sei se viajo em dezembro, não sei se compro gérberas ou rosas, não sei nada. Eu não sei, compreende? Estou pronta pra falar tudo que até agora era só pensamento, quando finalmente sou tomada por uma ternura cristã... Ah, Osvaldo placa RFT6540, se você soubesse o tanto de escolhas feitas inconscientemente – e levianamente – que me trouxeram até aqui... Nem sempre a gente sabe pra onde tá indo, não é?

Porque primeiro eu decidi mudar de colégio, já que o São Patrício me pareceu pequeno. Depois eu decidi mudar de novo, porque o GIMK me pareceu burguês – como se eu não fosse... Em seguida eu decidi cursar Comunicação (na PUC, uma instituição também burguesa, mas que tinha um combo floresta-pilotis que me parecia simpático), pra dois anos adiante optar por Jornalismo, e não Publicidade, sendo que antes eu já tinha descartado essas 2 possibilidades pra ser atriz – e tudo isso foi muito, muito, muito difícil. Não que isso seja uma justificativa, mas o ar que faltou nesse parágrafo faltou também nos meus pulmões. Às vezes a vida tem muita vírgula. Nem sempre a gente sabe onde tá respirando.

Não preciso dizer que uns anos depois entrei na fase de escolhas número 2 – "ter coragem de casar, ter coragem de ter filho, ter coragem de deixar o filho na escola sendo que ele pode voltar com uma mordida no braço, ter coragem de não odiar o amiguinho dele de 3 anos que fez isso, ter coragem de ver que o amor acabou, ter coragem de separar, ter coragem de amar de novo" –, e todas essas escolhas contaram com o patrocínio da minha analista, de 106 cartelas brancas de Alprazolam 0,25 e de mais ou menos 342 sacolas vermelhas da Kopenhagen.

Se a gente vai pelo Waze? Tenha compaixão, Osvaldo. Eu sei que sua nota é 4,8, talvez exatamente pelas balas originais 7 Belo, e, não as genéricas, pela água fresquinha tirada da sua bolsa térmica, e pelas perguntas tão atenciosas. Sei também que você muito provavelmente é um arquiteto formado e que tem filhos na escola e que dirigir Uber não era o que você pensava em fazer quando tinha 17 anos, mas, por favor, não me faça decidir mais nada. Me leve ao meu destino, Osvaldo. Me pegue pela mão. Me dê 23 minutos de colo, porque depois voltaremos a não saber nada…

Porque quando o João Salles decidiu fazer *Santiago* – seu filme anterior, sobre o mordomo de seu pai – ele não sabia que falaria de si, e do seu olhar de cima pra baixo, ainda que amoroso, diante do empregado argentino. Ele também não sabia que, ao pesquisar imagens da família para o documentário, encontraria sua mãe feliz numa China em plena Revolução Cultural. E que, ao vê-la feliz em 2 rolos de 16 milímetros, sentiria uma esperança parecida com a experimentada pelos parisienses de 1968: a de uma vida com sentido. Ter uma causa, criar um filho, viajar, ver filmes que importam, amar, deixar o entorno mais justo, dizer palavras gentis, se conhecer, dizer não, renunciar. Tudo isso são escolhas, Osvaldo, mas nem sempre a gente sabe que tá escolhendo…

Comecei esse texto querendo falar de *No intenso agora*, da agressão inaceitável sofrida pela Judith Butler em Congonhas, e de como junho de 2013 – aquele marco histórico e lindo da nossa democracia – nos trouxe até esse sombrio 2017, com um Congresso querendo negar aborto a mulheres estupradas. Tanta coisa no meu HD hiperativo e desatento que talvez não tenha falado de nada. Talvez devesse ter dito à minha mãe que a amo.

Nem sempre a gente sabe o que tá escrevendo.
(Ah, a frase é do Kierkegaard.)
Maria
2017

Jorge Bastos Moreno

Filme: *Spotlight: segredos revelados* (Thomas McCarthy)
Música: "Canção da América" (Milton Nascimento)

 Maria, precisamos conversar. Você e os seus amigos de esquerda estão completamente equivocados em pedir "Diretas". Vocês não percebem que isso é bom pro Temer? Vem jantar aqui amanhã que eu te explico tudo bem direitinho e aí você explica pros seus amigos. Carlucia vai fazer aquele peixe pantaneiro que você gosta e Gil vai mostrar a música que a gente compôs pra Roberta Sá. Que agora eu também sou artista, minha amiga. Mas vê se vem com um sapato melhorzinho, que da última vez que você esteve lá em casa até comentei com a Mariana Ximenes que precisava te comprar sapatilhas novas. Agora deixa eu ir aqui que preciso mandar a coluna detonando os Freixetes... Tomara que o João Vicente não fique bravo comigo... (eu sei que você tem ciúmes dele, falo só pra te provocar...).
 Desligamos. Fui no jantar. Moreno estava especialmente feliz. Nos últimos meses, andava eufórico com o apartamento novo, o programa na CBN, as participações na GloboNews. Falava de política com o mesmo entusiasmo que falava do leitão da Carlucia e da atriz de cabelo curtinho da novela das 9. E misturava os assuntos de um jeito que ninguém nunca imaginou ser possível. Como misturava pessoas. Hoje, em seu velório, Rodrigo Maia e Gregório Duvivier praticamente se abraçaram.

Coloquei meu melhor sapato, Moreninho. Eram muitas as viúvas, de modo que não podia fazer feio. Andréia Sadi, Renata Lo Prete, Sandra Fernandes, Fernanda Torres, Miriam Leitão, todo mundo chorando, meu amigo. Agora você tá voando pra Cuiabá, e eu vou seguir aqui com a sua herança: Letícia, Felipe, Andréia, Flora, Gerson, Joana, Luli, Mari, Miguel, Paula, Marcelo, Roberta. Estamos combinando uma missa tipo festa. Estamos combinando de nos amar como você nos amou. Com afeto verdadeiro – o que inclui discutir política, naturalmente –, humor fino, e o melhor feijão da história. Obrigada, meu amigo. Obrigada.

Maria
2017

Jorge Bastos Moreno, Instagram

Novembro de 2015, o #agoraéquesaoelas bombando, Moreno decide entrar no movimento dos colunistas e cede seu espaço no jornal pra mim. Posso falar mal desse negócio de musa?, pergunto. Acho meio cafona, continuei. E ele. Pode tudo, meu amorrrr. Mandei ver. Disse que achava o título machista e opressor e tudo o mais. Ele não se importou. Sabia da minha alma combativa e do nosso imenso afeto um pelo outro. Hoje de manhã, na casa dele, com O *Globo* na mesa junto à revista com ele na capa, tive vontade de dizer: Moreninho, posso falar? Não conta pra ninguém? Eu sempre amei ser chamada de musa, mas foi quando você disse "amiga" pela primeira vez que o sucesso me subiu à cabeça. Como a vida era boa do teu lado, Jorge Bastos!

2017

Tom Jobim

Filme: *Manhattan* (Woody Allen)
Música: "Bachianas brasileiras nº 5" (Villa Lobos)

Eu tinha 8 anos. Estávamos, meu pai e eu, almoçando na Plataforma, churrascaria clássica do Rio de Janeiro no Leblon dos anos 1980, onde eu sempre via algum ator de TV traçando uma picanha ou uma farofa batizada com seu nome. Naquela época – era pré-Cartoon Network e Discovery Kids –, as crianças de classe média acompanhavam a programação televisiva que passava nas casas, independentemente da classificação indicativa, e não havia esse cuidado todo com conteúdo impróprio. Eu via tanto *Balão mágico* quanto *O tempo e o vento*, e ficava impressionadíssima de esbarrar com o Capitão Rodrigo Tarcísio Meira na padaria da rua debaixo da minha.

Morávamos no Jardim Botânico. Vizinhos, portanto, dos estúdios da TV Globo. Dia sim, dia não, havia gravação na praça perto de casa, e não duvido que tenha me tornado atriz por causa dessa proximidade. Minha babá Joana colecionava revistas do Fábio Jr. e pedir autógrafo era nosso esporte favorito. Nesse dia da Plataforma não foi diferente, embora o personagem não beijasse a mocinha no final nem tivesse um nome na historinha e outro no CPF. Antônio Carlos Jobim entrou acompanhado de uma mulher, e, no caminho até a mesa, reparei que ela acenou levemente em nossa direção. Pai, você conhece o Tom Jobim?

Não, ele não conhecia o maestro, mas a moça que estava com ele era mãe de um amigo dos meus irmãos. Foi o suficiente pra eu ir sozinha até lá. Chegando na mesa, cumprimentei a tal Cristina com uma intimidade que eu não tinha e pedi pra que o Tom por favor assinasse seu nome na minha agenda do Garfield. Ele ficou espantado. Quantos anos você tem, menina? Fiquei ofendidíssima. Oito, por quê? E você por acaso conhece alguma música minha?, rebateu ele, divertido. Cantei "Luiza", que eu conhecia justamente por ter sido tema de abertura de uma novela com a Vera Fisher. Quando acabei, abri a página onde queria que ele assinasse e estendi, orgulhosa e confiante, minha coleção de rabiscos, fruto de um ano inteiro de encontros daquele tipo. Vamos fazer diferente, Tom pediu. Como você se chama? Volta daqui a uma meia hora?

Voltei. Em um pedaço de papel branco onde no avesso estava a logo da churrascaria impressa em azul, estava escrito:

Maria, acorda que é dia
Um beijo do Tio Tom
Para a menina Maria
(Quase-moça)

Tom Jobim

Voltei pra casa em silêncio. Alguma coisa séria tinha acontecido. Me lembro de voltar pra casa diferente, com uma felicidade grave, daquelas difíceis de serem divididas. À noite, ainda tocada, pedi ao meu irmão, onze anos mais velho e consultor da vida toda para assuntos musicais e literários, que me mostrasse to-das as músicas do meu quase amigo. Eu não era quase moça, mas passei a ser depois daquele dia. Antônio Carlos Brasileiro de Almeida Jobim olhou pra minha meninice, e me deu autorização pra ser alguém a quem se concede um autógrafo mais atento. Aquele encontro me tornou especial pra mim mesma, e fui correr atrás de ficar por dentro de toda a obra do maestro. E se eu fosse desafiada de novo? Meu *The voice* particular precisava se manter de pé.

Não fui, mas aquele autógrafo na Plataforma marcou minha infância e se estendeu por toda a juventude. Tom passou a ser meu amigo ostentação, e me fez companhia em momentos tão decisivos quanto a separação dos meus pais – quando a trilha do meu quarto era o genial *Elis e Tom* – e a chegada do meu primeiro rebento, ninado ao som de "Passarim". Fui a todos os shows aos quais tive chance, aprendi a gostar de Villa Lobos, e a entender de Urubus à Mata Atlântica, e absorvi seu universo como se absorve a cultura de um país ou de um namorado.

Dez anos depois do nosso primeiro e único encontro, Tom foi embora. Seu corpo chegou de Nova York para ser velado no Jardim Botânico, e fui sozinha me despedir. Lembro que era dezembro, e que eu estava em cartaz no teatro Tablado com uma peça infantil chamada *A coruja Sofia*, último texto escrito por Maria Clara Machado, e, cuja trilha – uma obra-prima – era assinada por Paulinho Jobim, seu filho. Eu me sentia cada vez mais perto, e de uma hora pra outra me dei conta de que nunca mais o veria na Plataforma pra dizer que sim, conhecia suas músicas.

Isso foi em 1994, eu com 19 anos recém-completados. "Quase moça", eu imaginava sua voz grave me dando coragem sempre que tinha medo de amadurecer – coisa que volta e meia, e mesmo com 42, faço. Não me lembro de ter chorado tanto a morte de alguém de quem eu não era próxima de fato.

Hoje a Plataforma está fechada, e meu autógrafo praticamente apagado, mas de vez em quando ainda estendo o braço pro meu quase amigo, como quando estava prestes a parir meu primeiro filho, e, com medo, repetia o "Maria, acorda que é dia" substituindo o "quase-moça" por "quase-mãe". Tom sempre me fez companhia, e talvez tenha sido, mesmo que só pra mim, meu quase namorado. E como diz Mallu Magalhães, quase já é muito bom.

Maria
2018

Lula

Filme: *Dançando no escuro* **(Lars Von Trier)**
Música: "Negro drama" (Racionais)

"Não é que antigamente não tinha telefone celular?", meu caçula pergunta afirmando desse jeito bonitinho, o *não* na comissão de frente como quem ainda não tem grandes certezas. "Sim", respondo, aproveitando cada centímetro do 100% de pureza de uma interrogação infantil. "E não é que fumar era uma coisa legal" – no sentido de bacana, e esse acréscimo é meu – "em todos os lugares, e até no avião?" "É", continuo (e continuaria pra sempre…). "Até no avião, filho. Até no avião." E não é que ainda outro dia era normal caixa dois de campanha, gordura hidrogenada no café e no sorvete, e inclusive termômetro feito com mercúrio? Agora sou eu, fazendo uso da construção do meu rebento pra suavizar o tanto de espinho que machuca o tema. Então. Com o Lula é a mesma coisa. E também com o Brasil. E, se tudo der certo, filho, também comigo e com você. Coisas que antes eram consideradas normais estão deixando de ser, e isso há de ser tão mais bonito quanto mais justo.

Porque, não é hoje, vírgula, 24 de janeiro de 2018, que nosso ex-presidente vai ser julgado? Então. Não é que ele mentiu a respeito do sítio de Atibaia ou Itatiba (sempre confundo) e do tríplex do Guarujá? Pois bem. Não pode. Porque antes podia. Podia ser presidente e ganhar apartamento ou reforma de empreiteira favorecida em editais fraudados, e agora – e já não era sem tempo – não pode mais. Coisa boa. Ponto pro time canarinho. Mas ó: também não pode cadeia lotada, nem criança fora da escola, nem trabalho escravo, nem mala de dinheiro, nem turismo sexual no Nordeste, nem cerveja antes dos 18, nem julgamento político se fingir de jurídico. O Carnaval tá perto, mas inda não tá valendo. Bora deixar a fantasia pra fevereiro, pessoal. Até lá, que a transparência seja nosso abadá.

O apartamento estava sendo reformado para o ex-presidente? Muito provavelmente, sim. Isso é motivo pra Luíz Inácio estar fora das eleições? Muito provavelmente, não. Por algum sentimento ainda tão inseguro quanto as interrogações do meu filho de 8 anos, e ouvindo mais intuição do que propriamente conhecimento, todos os discursos passionais quanto a hoje me parecem ingênuos. Infelizmente tenho tido dificuldades no departamento "ídolos", e não consegui, até agora, me encaixar nem na marcha "vermelho-paixão" e muito menos no bloco *vip* "sou verde-amarelo contanto que tenha ar-condicionado". De todas as camisetas disponíveis por aí, hoje queria vestir uma simples, com uma hashtag óbvia e pouquíssimo midiática: #democracia.

Não, eu não acho que a democracia seja um sistema genial. Fiz, como atriz, vinte anos atrás, uma peça do Ibsen, *Um inimigo do povo*, que retrata exatamente isso, e nunca vou esquecer das falas do Dr. Thomas Stockmann, nas quais criticava duramente o tal "direito da maioria". Talvez a democracia seja uma espécie de casamento, uma coisa que não é exatamente incrível, mas que até agora não vi surgir nenhum concorrente à altura. Eu, pelo menos, ainda não encontrei (sugestões podem ser enviadas para Carmem Verônica, através do e-mail do jornal…). A democracia não é perfeita, mas é o que temos, e, tal como a fidelidade, ruim com ela, pior sem ela. De modo que outro golpe em sua carne pode ser fatal.

Porque, eu não sei você, mas ainda não me recuperei da forma como Dilma Rousseff deixou a presidência. Podemos questionar sua capacidade de liderança, podemos colocar em xeque o continuísmo, podemos acusá-la de má gestora, mas ela foi eleita para o cargo democraticamente, e não foram as pedaladas fiscais que a depuseram, assim como não será o tríplex que tirará Luiz Inácio Lula da Silva do páreo de 2018…

Mas é um caderno de cultura, pra usar uma palavra doce, ou, de entretenimento, se optarmos por outra, mais triste. No mesmo jornal, temos inúmeros articulistas muitíssimo bem informados, e quem sou eu pra dar uma de jornalista de *"hard news"*? No entanto, talvez seja exatamente por ser mulher, e, mais ainda, por ser atriz, que eu intua uma *mise-en-scène* cheia de fumaça proposta por quem se autoproclama a favor da justiça a todo custo, no caso da condenação do ex-presidente Lula. De um modo geral, estamos falando de um elenco privilegiado, gente que ainda veste a babá dos seus filhos de branco e reclama do trânsito quando "dá ruim" na Rocinha.

Mas agora é hora de chamar os universitários, todos lá no primeiro caderno (e recomendo também o sensacional artigo de Fernando Barros e Silva, na *Piauí* desse mês). De volta à minha seara de comportamento, cinema, teatro e vida pessoal disfarçada de literatura, sugiro, pra quem ainda não viu, *Me chame pelo seu nome*, filme lindíssimo do diretor italiano Luca Guadagnino, sobre uma história de amor entre um adolescente e um acadêmico. Poucas vezes no cinema tive a sensação de

ouvir um coração bater tão forte pelo outro, e isso também é política. Talvez a maior de todas. Elio e Oliver se chamam, um pelo nome do outro, mas hoje, só por hoje, vírgula, poderíamos sugerir essa mesma ausência de egos em outro embate, dessa vez em nome de uma mina massa que precisa urgentemente ser respeitada e que se chama democracia. Sérgio, Luiz, Luiz, Sérgio.
    Maria
2018

Gonçalo M. Tavares

Filme: *Porto da minha infância* (Manoel De Oliveira)
Música: "Aquela janela virada pro mar" (António Zambujo)

G. (que não é H.),
Será o vazio também uma forma geométrica?
Beijo,
M. (que não é o seu)
2018

Monica Tenenbaum, SMS

Filme: *Lady Bird: a hora de voar* (Greta Gerwig)
Música: "Come as you are" (Nirvana)

    Monica, não rolou o Donaren. Tomei meio às 22h e dormi na hora, mas acordei às 2h, aí tomei mais meio e só dormi às 4h. E ainda assim, passei o dia todo de ressaca, com a boca seca. Sei que você não gosta de liberar o Rivotril, mas esse outro realmente não me bateu bem. Desculpa que ontem nem perguntei como você tá. Perder pai nunca é fácil (sempre acho meio estranho você cuidar de mim e eu não cuidar de você… rsrs). Foi teu primeiro aniversário sem pai, mas o primeiro com a neta, a vida às vezes acerta. Libera o Rivo pelo amor? Juro que não exagero…

2016

Alexandre Nero, SMS

Filme: *Tempestade de gelo* (Ang Lee)
Música: "Exagerado" (Cazuza)

Nero, no meio do Sertão quem tem um olho é rei. Não, acho que é em terra de cego. Não sei o ditado direito. Só pra te dizer que seu questionário Proust é a coisa mais linda e honesta que eu já li. Te amo, você sabe. Amor reprimido e domado, conforme a tradicional família brasileira prega, como você diz. Eu quero é preço, hahaha. O amor é pijama. Ou, então, aquela fantasia de urso que você usava na peça. Dia 9 vai rolar um jantarzinho aqui, vem com a Karen me dar um beijo?
2017

Caco Ciocler, SMS

Filme: *Valentin* **(Alejandro Agresti)**
Música: "I try" (Mary Gray)

 Caco, não tem nenhum truque, a cortina. O controle fica na cabeceira, em cima da cama. Cacau e Jujuba tão dando trabalho? Isso é que dá alugar casa de amigo. A gente bem podia fazer um filme aí, nós 4. O seu personagem podia se comunicar com os outros só por áudio. Nunca vi ninguém tão gênio, ouço seus áudios, no mínimo, 3 vezes. Qualquer problema liga. Já tá com coragem pra subir a ladeira dirigindo?
 2017

Leonídio

Filme: *O último imperador* (Bernardo Bertolucci)
Música: "Bette Davis Eyes" (Kim Carnes)

Você falava assim: preciso de você pra carregar a bateria. Não precisa conversar, pode ler jornal, ver TV, ficar no celular. Só gruda.
Você gostava das costas da mão. Dizia que era mais limpa. Você tinha mania de limpeza. De lençol gelado. De, no restaurante, virar você mesmo o refrigerante no copo. De ver novela gravada acelerando as partes chatas. De tirar a fatia do queijo exposta ao tempo. De cavalo. De tudo de cavalo. Você gostava de me levar nas cocheiras. Na tribuna do Jóquei. No haras. Você gostava de Angra. E antes de Angra, de Cabo Frio. E também de Arraial do Cabo. De mergulhar. De gente. Você gostava de mim.
Você gostava de andar pelado. De chocolate da Kopenhagen. Da empada de camarão do Jobi. De mil folhas. De alcachofra. De ouvir Roberto Carlos na estrada. Você gostava do Porcão. Do Satyricon. Do Madame Butterfly. Do Siri Mole. Você amava o Siri Mole. Você gostava de restaurante. Você gostava da Suzy. De jogar *bridge* no Country. De jogar biriba valendo dinheiro. De pôquer eu não sei se você gostava. Você gostava de ar-condicionado. De hambúrguer do PJ Clarke's.

Com a cebola. Você gostava de alho. E de suco de tangerina. Você gostava de gente. Você gostava de viajar pra comer. Chez André, Fouquet's, Brasserie Lipp.

Você gostava de mim.

Maria

2017

Isabel Guéron

Filme: *De repente 30* **(Gary Winick)**
Música: **"Aula de francês" (Tiê)**

Bel,
Te escrevo do avião, voltando pro Rio. Passei toda a viagem pensando no que aconteceu. Decolei muito chateada mesmo, aflita por não poder te ligar e falar. Fiquei muito triste comigo mesma, e te peço desculpas de novo. Domingo é sempre um dia muito difícil pra mim, e esse foi mais ainda. Meu voo pra São Paulo era às 7h da manhã, de lá eu voltaria pro Rio, e do Rio pegaria o voo meia hora depois de chegar. Um estresse tremendo. Enfim, não acho que precise te provar o quanto sua amizade é importante pra mim. Eu queria ficar um pouco sozinha com as crianças, fazer mala, colocá-los pra dormir. Achei que podia te dizer isso numa boa, temos essa intimidade, e a verdade é que não soube como falar. Fui ríspida e indelicada. Não dei conta. Fui grossa com você e com o João logo em seguida.
Enfim, Bel, não sei muito mais o que dizer. Mas acho que falar nunca é demais. Fico feliz que você tenha sido tão honesta quanto à raiva que ficou de mim. Admiro sua transparência. Gosto muito de você, e nunca achei que duvidaria da minha lealdade e amizade. Espero poder errar com você,

como erro com meu marido e meus filhos, pessoas que mais amo no mundo. E espero também que teu olhar verdadeiro me faça crescer na vida e errar menos.

Com amor,
Maria
2014

Fernanda Nobre

Filme: *Direito de amar* **(Tom Ford)**
Música: "Minha menina" (Chico Buarque)

Oi, Maria, tudo bem? Aqui é o Nino Cais. Eu tensa (aquele artista fodão...?!). Eu fingindo estar normal: Oi, Nino, tudo bem? E ele: Tudo. Peguei seu *cel* com a Barbara Paz, topa escrever um texto sobre a abertura da minha *expo* no próximo dia 4, em São Paulo? Topo. Mas Nino. E ele. Oi. Eu não entendo de arte. Não tenho sensibilidade nessa área... (aqui ele me dá uma bronca). Bom. Fase 2. Combinamos de nos encontrar. Só que não nos encontramos. Combinamos de eu mandar o texto na semana passada, mas tive que viajar correndo e não trouxe o *computa*. Aqui com certeza ele já tá arrependido. Mas eu não. Porque eu quero ser outra coisa. E acho que o Nino também. Que nem essa foto aqui em cima. E isso só acontece quando a gente conhece outra pessoa. E tem coragem de subverter qualquer identidade. Seja a nossa, a de uma foto, a de uma cadeira. Nino, dia 4 eu tô na #galeriatriangulo e a gente pode invocar o Manoel de Barros e reinventar essa cartilha de "atriz meio inteligente convidada pra escrever um texto de ficção sobre artista plástico gênio em galeria *cool*". Porque, se você quiser, eu me pinto de vermelho e coloco uma daquelas suas máscaras e invento uma vida nova pra gente.

Eu quero uma vida nova pra mim. Me empresta o teu olhar? Desenha *ni mim*? Pode deixar que pra você teremos palavras tão docemente ignorantes sobre este mundo que desconheço, que no mínimo a gente vai se divertir...
2017

Martha Nowill, Instagram

Filme: *A grande beleza* **(Paolo Sorrentino)**
Música: "Total Eclipse of the Heart" (Bonnie Tyler)

    Eu conheci ela num filme e nunca mais larguei. Eu conheci ela na vida e tatuei no peito. Ela é minha comadre, minha atriz fetiche, escorpiana sensível e mandona, que nem alguém que eu conheço (eu). A melhor gargalhada e a pior divididora de sobremesa de morango com creme. Ela fala na lata, ela chora, ela ocupa, ela astraliza, ela é gênia de *lives*, ela ensina os cremes bons e manda foto das roupas antes de comprar. Ela é uma amiga com tudo em maiúsculo e letra cintilante, e eu quero passar 100 dias com ela, e depois 1000, e depois perder a conta. Martha, você pra mim também basta assim, sem sobrenome, que nem Elisangela e Maysa. Te amo, minha irmã. *Feliz cumpleanos*, obrigada por ser tão parceira sempre, vem logo pro Rio, que tem amor, toalha dos Carros, e lençol das Tartarugas Ninja esperando por você! @marthanowill ❤
2017

Vanessa Cardoso, Instagram

Filme: *A lula e a baleia* (Noah Baumbach)
Música: "These days" (Nico)

Ela manda em mim e eu nem percebo. Exatamente como ela olha pra Lisboa, que ainda não sabe que ela revoluciona todos os pratos dos restaurantes, prova 5 vinhos antes de escolher o que vai tomar, pede pra reservar roupas nas lojas – que ela vai pensar –, marca 5 fados diferentes e só come o recheio do pastel de nata. Ela faz aniversário no Dia dos Namorados e foi meu par romântico num *Você decide*, época dessa foto aí, 1997. Depois ela virou minha amiga/irmã e eu a obriguei a ser minha empresária, mesmo a gente achando isso meio cafona. Então, a gente passou a viajar juntas e eu descobri que ela guarda o pijama embaixo do travesseiro e anda com o adoçante na bolsa. Pior: eu descobri que não posso viver sem ela, e que se eu for 1/5 da amiga que ela é, posso considerar minha missão cumprida aqui nesse mundo de cada um por si. Ela sempre pergunta como eu tô. Ultimamente ela pergunta todo dia. E ela realmente quer saber, o que faz toda a diferença. Ela só gosta de café pelando, o que faz com que todo mundo faça *bullying* com ela nos restaurantes. Ela é melhor amiga do Wagner Moura e do Felipe Hirsch, mas fica horas comigo trocando foto de roupa no WhatsApp. Ela tem o corpo mais lindo do mundo, mas gosta de se vestir comportada. @vanessacardosoms, obrigada por deixar a vida boa quando ela não tá tanto, e por tornar ela melhor ainda quando tá tudo bem. Eu te amo e te quero sempre pertinho. Feliz Aniversário, Feliz Dia dos Namorados, Feliz Natal e Feliz Páscoa! Você merece o mundo!

2017

Andréia Horta, Instagram

Filme: *Noites de Cabíria* (Federico Fellini)
Música: "Musa híbrida" (Caetano Veloso)

    Nesta lua cheia, Deia linda, eu só te digo que "o nosso amor existe, forte ou fraco, alegre ou triste"! Coisa boa sentir, fazer os outros sentirem e dar destino a tudo que se agita no nosso peito, minha amiga! Sua Elis é visceral e emocionante, e você também é. Amo você, @aandreiahorta! Parabéns por mais essa, curta e comemore muito, a vida vale por esses momentos! ❤❤❤❤❤❤❤

2016

Leopoldo Pacheco, Instagram

Filme: *O leopardo* (Luchino Visconti)
Música: "Et Pourtant" (Charle Aznavour)

    Eu nem perguntei se podia postar a mensagem privada que o @leopoldopacheco me mandou ontem. Mas é que tem umas pessoas que ficam pra sempre, e, ai... ainda bem que tem. Fiz uma novela com o Leo, dez anos atrás, não vejo ele nunca, e sou completamente apaixonada por esse cara. Nesse *fast-food* de relações em que a gente tá toda hora pensando em como ter mais amigos, ou quem vai ser a próxima paquera no *Insta*, saber que o tempo não tira o que é de verdade é a coisa mais linda desse mundo.
2017

Ricardo Pereira, Instagram

Filme: *Uma linda mulher* (Garry Marshall)
Música: "As pedras da minha rua" (Carminho)

Ele é gato, ele é português, ele é legal, ele faz filme com a Asia Argento, ele tem 3 filhos lindos, ele é meu vizinho, meu amigo fiel, e, o mais importante, ele tem uma mulher que é ainda muito mais do que qualquer adjetivo que eu possa colocar aqui... Meu casal amado, meus irmãos, feliz aniversário, feliz Julieta. Amanhã tem foto da @franciscaprpereira, porque além de apaixonadérrimos eles ainda fazem aniversário juntos... aff... Amo vocês, casal *bullying*! E quero um finde naquela casa gênia no Algarves... rsrs ❤
2017

Paula Gicovate, Instagram

Filme: *Her* **(Spike Jonze)**
Música: "I follow rivers" (Lykke Li)

 @paulagicovate, caramba. Primeiro eu pensei em te mandar rosas amarelas, as minhas preferidas. Depois lembrei daquela língua de gato que você me mostrou, mas que só tem em Copa. Aí eu lembrei do Kikito, mas meu pequeno tem usado de troféu nas corridas de *Hot Wheels*. Será que obrigada é suficiente? Será que te dizer que me senti vista como há muito tempo não me sentia? Obrigada, Paula. Tô amando ostentar os *nudes*, mas exibir essas palavras amorosas de uma escritora foda e de uma pessoa tão completa me deram alegria pra uma vida inteira. Obrigada.
 2017

Selton Mello

Filme: *Karate Kid* (John G. Avildsen)
Música: "Pais e filhos" (Legião Urbana)

    No filme da minha vida, assim como no da vida do Selton – o Mello –, também toca Charles Aznavour. Penso que deve estar lá pela metade, o filme da minha vida. Torço para que esteja. Ver crescer os filhos dos seus filhos deve ser uma coisa assim, tipo Capela Sistina, ou comer sem engordar. Se tudo der certo e o filme da minha vida estiver mesmo entrando no segundo ato, então este é o momento exato de perdoar o progenitor, ainda mais se ele tiver te ensinado a andar de bicicleta como o Vincent Cassel fez com o Johnny Massaro pequeno, antes de virar o Johnny Massaro grande (apesar de que eu desconfio que o Johnny Massaro já tenha nascido imenso...). Que menino especial, esse.
    É também chegada a hora precisa de descobrir, com serenidade, que o seu Paco, misto de ídolo com melhor amigo e interpretado pelo próprio diretor, a quem você conferia honrarias de "pra sempre" e "família escolhida" não era tão camarada assim, mas não porque não quisesse, e, sim, porque, ah... porque a vida é dura. Nesse momento da jornada você já sabe – ou deveria saber, caso contrário deve voltar 10 casas – que não há gente totalmente boa, ou totalmente

má. Sou inocente, já dizia Domingos Oliveira sob a pele de Paulo José em *A culpa*. Se não tive a intenção, não posso me considerar culpado.

Sim, a vida é dura. No filme da minha vida, assim como no da vida do Selton, não se falava sobre coisas tristes em casa. Com o silêncio, o sentimento de solidão – isso muito antes de você, no caso eu, ter sido capaz de elaborar esse Darth Vader 3 vezes mais mau e sem o Luke pra fazer o contraponto – começou um pouco antes do que deveria, na minha humilde opinião. Com 7 anos, você, no caso eu, já sabia o terror e a humilhação que era não conseguir dormir na casa da amiguinha e ter que acordar a família dela e a sua, pra te buscar, angustiada, às 3h da matina.

Mas o roteirista do filme da minha vida – que na época, você, no caso eu, chamava de Deus, e encontrava na missa da Paróquia da Divina Providência da Rua Lopes Quintas todo domingo – não podia ser exatamente responsabilizado pela jornada. Tendo que olhar pra muita gente, e digitando ao vivo milhões de trajetórias, não dava pra cobrar o todo-poderoso pelo fato de sua vizinha e grande companheira da infância ter começado a ficar estranha de repente, quando vocês ainda tinham 13 anos e ouviam o disco do A-ha por quatro horas seguidas. Ela passou a ficar triste, e depois passou a ter medo, e a tomar muitos banhos, e você foi ficando sem entender nada junto à vitrola que vocês tanto prezavam e que de uma hora pra outra passou a ser um programa só seu. De modo que essa é a primeira marca do filme da sua vida: pessoas deixarem de existir mesmo que continuem existindo.

No filme da vida do Selton, assim como no da minha, o cinema também entra cedo. É um refúgio, um escape, uma mão estendida com ares de super-herói, um amor que não acaba, bem diferente daquele dos seus pais e do Paulo Mendes Campos. Quando pequena, lembro de 4 fitas que devo ter visto em casa no mínimo 50 vezes, e que são parte de mim como órgãos e músculos: *O mágico de Oz, Minha bela dama, A noviça rebelde* e *Grease: nos tempos da brilhantina*. Eu, sempre modesta, queria ser um mix de Judy Garland com Audrey Hepburn e Olivia Newton-John... Vai vendo...

Na sala grande, *E.T* e *A hora da estrela* me fizeram chorar tudo o que não me foi permitido quando meu Vincent Cassel saiu de casa pra se casar de novo. Foi nessa época, inclusive, que desenvolvi o excelente método "Sentiu angústia, vá ao cinema"; afinal, não há nada mais justo do que fazer uso da dor e da vida dos outros – ainda mais quando os outros nem estão sentindo de verdade, porque ator e poeta é tudo fingidor do Fernando Pessoa – pra chorar a sua própria dor e a sua própria vida.

Mas nem tudo é mágoa, e assim como o cinema libera a tristeza, ele faz o mesmo com a alegria. E se no filme da vida do Selton a Martha Nowill faz a prostituta mais doce do mundo todo, no filme da minha vida ela é a amiga mais delicada e amorosa do pedaço. Aliás, que gente generosa, os atores! Saí do cinema ontem com vontade de agradecer a todos que gentilmente me cederam tanta beleza e humanidade.

No filme da minha vida também toca Charles Aznavour. No filme da minha vida também tem gente que sai e gente que entra. No filme da minha vida tem abandono e injustiça, mas tem também, e em maior escala, paixão e contentamento. No filme da minha vida tem o Selton fazendo a voz mais importante da minha infância, Daniel San, e em seguida um João da Ega que nunca vai sair do meu coração. No filme da minha vida não tem mais pai mas ainda tem mãe, e tem também 2 meninos legais que pararam tudo essa semana pra ver a Chape jogar contra o Barça. No filme da minha vida tem show do Gil e da Mallu Magalhães, aquarelas da Rita e o Riobaldo do Caio. No filme da minha vida tem ternura e coragem, farofa da Carlucia e o olhar da Bruna Linzmeyer. O filme da vida do Selton é um sopro de delicadeza no meio da vida de todo mundo. Na minha, pelo menos, foi.

Maria
2017

Washington Olivetto
e Nelson Rodrigues

Filme: *5x favela* (Joaquim Pedro de Andrade e Nelson
 Pereira dos Santos)
Música: "Aquele abraço" (Gilberto Gil)

Uma criança de 5 anos encostou no pé de um homem que fazia uma performance nu no Museu de Arte Moderna de São Paulo. Sujeito: uma criança de 5 anos. Predicado: encostou no pé de um homem que fazia uma performance nu no Museu de Arte Moderna de São Paulo. Se estivéssemos fazendo prova de análise gramatical, poderíamos afirmar que "encostou" é o verbo, também chamado de ação, e "Museu de Arte Moderna de São Paulo", o adjunto adverbial (no caso aqui, de lugar).

Se optássemos por olhar o episódio à luz da matemática, que acredito ser mais o caso, afinal, vivemos numa sociedade de consumo, poderíamos problematizar a "notícia" (tem como colocar 10 aspas?) sob outro aspecto. Como multiplicar esse fato e moldá-lo à onda reacionária comandada, não sem fins lucrativos, pelos 2 prefeitos das maiores cidades do país? Como transformar e redimensionar um episódio sem relevância do ponto de vista da integridade da criança de tal forma que ele vire imediatamente e de maneira obscura uma peça de campanha eleitoral?

Elementar, meu caro leitor. Não é preciso ser nenhum Washington Olivetto pra saber que evocar a Tradicional e Sagrada Família Brasileira é *like* garantido ou seu dinheiro de volta. Na dúvida, sempre funciona. A expressão "família brasileira" é uma espécie de pastel de queijo ou brigadeiro dois amores, quase nunca tem erro e é consumo garantido da festinha de criança a fim de noite na Vila Mimosa. Aliás, "família brasileira", "síndrome de pânico" e "lugar de fala" são expressões que deveriam ter um limite de uso estabelecido pelo Ministério da Saúde.

Ai, que saudades do Nelson Rodrigues! "Não existe família sem adúltera", cravou certa vez o gênio tricolor, em uma das suas inúmeras sentenças com aura de verdade absoluta e ponto final. Outro grande frasista, Millôr Fernandes, pegou mais leve – ou mais pesado, já que o humor costuma castigar mais – quando escreveu que "família é um grupo de pessoas que tem as chaves da mesma casa". Rsrs. Amo... Mas, pera, calma. Não, isso aqui não é um texto contra o agrupamento de seres humanos que querem viver sob um único teto, ou que desejam procriar e passar férias na Disney. Eu mesma já fui casada 2 vezes, eu mesma já procriei, eu mesma já estive com o Mickey e com a Pequena Sereia e tirei foto com o castelo da Cinderela ao fundo. A questão aqui é o uso leviano, velado e perverso da palavra "família".

O digníssimo #sqn prefeito do Rio, Marcelo Crivella, sempre se gabou de estar casado há 37 anos. Aqui tem o meu *emoji* preferido, aquela carinha amarela com os olhos pra cima, meio com preguiça, meio respirando fundo pra não virar a carinha vermelha de raiva. Já o prefeito de São Paulo, João Doria, mais jovem, há 24 anos é o par amoroso da sua respeitadíssima esposa, que nunca deixou de observar com amor se seus cabelos estavam devidamente repartidos. Nada contra casamentos longevos, acho lindo, mas lamento informar que não há um *pin* dourado que torne os "até que a morte os separe" melhores do que os "que seja eterno enquanto dure".

Ser casado, de preferência há algum tempo, e ter filhos, de preferência penteados, sempre foi bandeira de pureza ostentada por nossos governantes. Mas a novidade aqui, e agora devemos grifar todo o texto com iluminador amarelo, é que "a arte" está sendo perigosa e estrategicamente acusada de estar do lado oposto ao da "família brasileira". Há nas redes sociais – e se está nas redes sociais é porque existe "no mundo físico" e só agora estamos nos dando conta – um ódio contra os artistas que serve perfeitamente ao plano de poder dos nossos amiguinhos bem casados.

E por que então o episódio do MAM estaria sendo usado politicamente e de forma aparentemente passional tanto por Crivella quanto por Doria? Ou alguém aqui acredita que eles estejam de fato preocupados com a criança que tocou no pé do bailarino Wagner Schwartz? Simples, Watson. Porque a arte nos faz pensar, a arte propõe novos pontos de vista, a arte tem por dever questionar o *status quo*, e eleitores pensantes não são exatamente o objeto de desejo dos prefeitos já citados.

Há dez dias estive na Rocinha pra visitar minha depiladora Valdete e dei de cara com o pastor Crivella. Visitando a comunidade pela primeira vez desde a guerra iniciada uma semana antes entre os traficantes Nem (preso em Rondônia) e Rogério 157, o prefeito caminhava cercado por um grupo exclusivamente de homens – e com o exército por ali – quando nos cruzamos. Resolvi fazer uma pergunta.

Prefeito, por que o senhor não ocupa a Rocinha também com arte? Cinemas, teatros, saraus, novas bibliotecas... Mas é claro!, ele respondeu, simpático e vazio. É exatamente o que nós vamos fazer! No dia seguinte, leio no jornal: Crivella promete banho de loja na Rocinha. Aqui o *emoji* dormiu. Entre a opção da carinha de tristeza, a de desespero e a da agressividade, o *emoji* preferiu descansar. Mas ele, o *emoji*, só conseguiu optar pelo sono porque um dia leu Drummond, que o aconselhou depois de ouvi-lo chorar por um amor perdido: "Dorme, meu filho".

A arte salva, e sem arte não há salvação.

Maria

2017

Sérgio Vaz

Filme: *Entre os muros da escola* **(Laurent Cantet)**
Música: **"Não existe amor em SP" (Criolo)**

Postei no Instagram um desenho a favor do adolescente do ABC paulista que teve a testa tatuada à força. Era Dia dos Namorados, e na minha *timeline* só havia casais lindos, felizes e magros em algum cenário do tipo Fernando de Noronha. Eu ainda me recuperava do golpe proferido pelo Excelentíssimo Senhor Doutor Gilmar e já estava diante de novo *bullying*, dessa vez um pouco mais excludente.

O amor é o João Santana que deu certo, pensei. E nem precisa do personagem das finanças. É Monica Moura Less. As declarações bombando cada vez mais no visor do meu celular, e eu tentando fazer a conta dos signos da semana: Temer + Aécio + o Excelentíssimo é igual a... Pera, deixa eu achar o sinal de igual. =. Pronto. Temer + Aécio + o Excelentíssimo = Não Existe Justiça no Brasil, portanto, posso punir como bem entendo um rapaz que tentava roubar uma bicicleta na minha pensão. Inclusive escrevendo em seu rosto – de forma definitiva – que ele é vacilão.

De fato, foi um vacilo. Pior. Foi um crime. Que deveria ser punido, obviamente. Pra isso existe a lei. Mas qual é a graça de chamar a polícia? Quantos *likes* um ato de cidadania costuma gerar? Qual vai ser a plateia de um reles telefonema? Telefone, essa coisa antiga. Melhor uma torturinha. Ainda por cima filmada. Isso sim, popularidade. Aceitação. Exibicionismo. Visibilidade. Assim como as declarações de amor do 12 de junho, a punição 2017 só faz sentido se for dita em voz alta. Pra mostrar pro amiguinho e impressionar a mina da rua de cima.

Ou vocês acham que as ofensas dirigidas a Miriam Leitão eram de fato pra Miriam Leitão? A jornalista passou duas horas dentro de um avião que fazia a rota Brasília-Rio, sendo xingada ininterruptamente por um grupo de delegados do Partido dos Trabalhadores, conforme escreveu ontem em sua coluna. Mas não me parece que tenha havido nenhuma tentativa de diálogo, do tipo: "Miriam, você não acha que a Globo exagera no caso do tríplex do Guarujá?", ou, "A senhora não acha que mesmo não sendo bom pro risco Brasil, é mais importante pra nós como nação que o Temer caia?". Não. Ninguém queria conversar. Nem pra acusar, nem pra discordar, nem pra ponderar. O lance é o eco, a torcida, a supremacia do grupo.

Ah, o grupo... Acho que foi Danuza Leão quem disse uma vez que não se senta à mesa com mais de 4 pessoas. E olha que isso foi antes de o país se dividir entre vermelhos e amarelos... Hoje, o que importa é escolher o time. Uma vez escolhido, não há mais questão. Não existe você ser Fluminense, como a *sapiens* aqui, e ter sido contra o "tapetão" que nos livrou da segunda divisão em 2013. Não existe você se considerar "de esquerda" (imagine sempre muitas aspas nos termos esquerda e direita, ok?) e ser contra qualquer reeleição, não importa se o candidato for Fernando Henrique Cardoso, Luiz Inácio Lula da Silva ou Dilma Rousseff. Não existe você ter sido contra o *impeachment* da presidenta na qual votou mesmo sendo contra reeleição e ao mesmo tempo ser a favor da cassação da chapa (escrevo no presente, porque ainda cabe recurso!). Enfim. Estamos na gincana do colégio, e tudo o que queremos é uma foto com a medalha.

Que fique claro aqui, pelamordedeus, que eu sou totalmente a favor de fotos e de medalhas. Adoro sair no jornal, faço *selfies* pro Instagram e não estou livre de legendas apaixonadas. Ainda bem. Acho as redes sociais incríveis e distribuo minha ignorância e meu conhecimento democraticamente, assim como absorvo humildemente (e às vezes burocraticamente...) uma ou outra lição de moral. Mas tenho ficado com medo das manadas.

Domingos Oliveira – sempre ele – tem um texto sobre a ação pessoal que mora na minha cabeceira e ao qual recorro sempre que me sinto sozinha. Ele cita Jesus, Buda e John Lennon e demonstra como, muitas vezes ao longo da história, o desdobramento de uma ação individual poderosa e revolucionária acaba traindo seus ideais originais quando se transforma em instituição e ganha seguidores. Tudo isso pra dizer que o PT, partido fundado pelos intelectuais Antonio Candido e Sérgio Buarque de Holanda, entre outros, não merece – e não precisa – de uma militância covarde falando em seu nome.

E por falar em ação pessoal, na semana passada o poeta Sérgio Vaz lançou, em parceria com o Nós do Morro, seu último livro, *Flores de alvenaria*, no Vidigal. Ao contrário do *modus operandi* em vigor, do marketing e da fala mansa, Vaz faz um trabalho transformador há dezesseis anos, lendo e ouvindo poesia na periferia de São Paulo. Sua Cooperifa reúne, semanalmente, entre 200 e 300 pessoas em saraus que vão madrugada adentro falando de amor e de opressão. Fui ao evento com um amigo, mas nem meu Uber nem o dele quiseram entrar na comunidade. Perderam a chance de ver uma noite necessária pra quem tem que lidar com tanto Temer, tanto Aécio e tanto Gilmar.

Pensando bem, no meio de tanta porrada, só mesmo a poesia, algum álcool e uma declaração de amor.

2017

Chapecoense

Filme: *Adaptação* (Spike Jonze)
Música: "Gandaia" (Karol Conka)

Eu sei, eu não parei com a Coca-Cola. E eu tinha prometido. Várias vezes, inclusive. Pelo menos umas 3. Eu acho. Mais de 2 com certeza. Naquelas listas, sabe? De fim de ano? Quer dizer, de fim não, de começo. Agendas. Isso. É assim que se chamam aqueles caderninhos românticos, não é? Qual será a origem etimológica da palavra agenda? Enfim. Não importa. Não mais. Agora é tudo de novo. Outro contrato. Vale este. 2017. Panetones e Roberto Carlos, rabanadas e artistas de branco, missa do Galo e ansiolíticos dobrados. Bora lá *tra veiz*.

Muito prazer, 2017. Adoro número ímpar, sabia? Se eu puder eu paro, ok, 2017? Com a Coca-Cola. Com a melancolia. Com a desilusão. Talvez eu possa parar. Quer dizer, consiga. Talvez não, também. Talvez eu não queira. Isso é Sartre. Eu acho. Ou ostentação leviana de um conhecimento superficial. Talvez simplesmente não dê. Pra parar. Isso é um transitivo direto. Na verdade, é um transitivo direto se fazendo de intransitivo, ou um *Homo sapiens* do sexo feminino terceirizando suas escolhas. Ou uma frase longa depois de várias curtas. Bora de novo aí, ô minúscula partícula do universo, ganhaste uma renovação, não seja ingrata e trate de evoluir seu Pokémon. Chega de Zubat.

Eu não comecei a ouvir vinis. E eu comprei a vitrola. Comprei e instalei. A vitrola e o *Chega de saudade*, do João Gilberto. E também o *Acabou chorare*, dos Novos Baianos, e o *Tábua de esmeralda*, do Jorge Ben. Sem o Jor, que nessa época não existia. Aliás, esse Jor me deixa sempre meio tensa. Enfim. E ainda o *Thriller*, do Michael Jackson. Só clássico.

Pausa. Agora enquanto eu tava falando (ou escrevendo), fiquei pensando que deve ter sido isso. Claro! Foi isso. Eu tinha que ter investido num som mais recente. Óbvio. Se eu tivesse comprado, por exemplo, o disco da Karol Conka, talvez eu estivesse ouvindo aquela agulha sagrada dançar sem parar, e estaria lendo encartes e aprendendo letras inteiras pra cantar na estrada, e por saber as letras inteiras decoradas no encarte – que só tem nos vinis – eu pegaria mais estradas e seria muito mais feliz, porque cantar "nessa vida *loka* eu vou me jogar" é uma coisa que devia ser receitada junto com Effexor e junto com poder estar sempre com a unha feita. Em 2017 vou estar sempre com a unha feita. Unha feita é igual a 3 banhos. Isso é equação. Em 2017 eu vou me jogar.

Eu não fiz exercícios. Físicos. Porque podiam ser de matemática. Ou de fisioterapia. Enfim. Eu jurei pra minha endócrino que pelo menos esteira eu ia fazer. Quarenta minutos. Todo dia. Pra não ter câncer, pra ficar melhor de cabeça, pra queimar as Nhá Bentas. Pra ela ficar feliz. Pra eu achar que alguém se preocupa comigo a ponto de ficar feliz com o fato de eu fazer esteira, tipo quando a minha mãe falava pra eu levar casaco (e eu não levava só pra ela insistir um pouco mais). Pra suar. Pra pertencer. Pra ficar com a bunda dura. Mas eu não fiz. Exercícios. Só no primeiro mês.

Isso é imaturidade. Ou burrice. Ou os dois. Em 2017 eu vou fazer Pilates. Que isso é mais importante do que parar com a Coca-Cola.

Eu não li nenhum Dostoiévski. Nenhuma Elena Ferrante, que na verdade ninguém sabe se existe ou se é mulher ou se realmente se chama Elena. Também não li nenhum Michel Laub. Mas eu passei a fazer malas pequenas, e isso é um projeto consistente. Eu não parei de fumar, não larguei o Zoloft nem a compulsão por 7 Belo, não carrego na bolsa uma garrafinha *cool* de água mineral. Mas eu mudei. M maiúsculo. Quer dizer, me mudei. M minúsculo. De casa. De pele. Dos dois.

Eu não terminei o livro novo, eu não fui nas reuniões de pais, eu não aprendi espanhol, mas eu filmei com a Laís Bodanzky. Eu não fui ao dentista tirar o siso, eu não respondi o e-mail da Bia Bedran, eu não li o Fernando Sabino com o meu filho, mas comecei a ver séries – e matei as saudades da Winona Ryder. Eu não parei com o Frontal, não voltei pro violão, não abandonei o Instagram, mas provei Peixinhos da Horta em Lisboa. Eu não parei de brigar com a minha mãe, não parei de sentir saudades do meu pai, e não parei de chorar por coisas idiotas, mas comecei a dormir sozinha.

Eu não fui aos comícios da Lapa. Não fiz mamografia nem constelação familiar, não cortei a gordura hidrogenada nem o glutamato monossódico, não fiz a tatuagem japonesa igual a da Charlotte Gainsbourg, não saí pra dançar com o Tuninho. Não bebi. Só a Coca-Cola que eu vou parar.

Não fui ao Maracanã com meus filhos.

Nada disso agora importa. Eu não conhecia os meninos da Chapecoense. Eu não sabia que era um time pequeno, que foi subindo aos poucos, primeiro da série D pra série C, depois da C pra B, e que agora, já na série A, jogaria uma final importante na Colômbia. Eu não sabia que depois do Trump, do Doria e do Crivella, 2016 ainda nos tiraria um time de futebol.

Um time de futebol é um país que deu certo. Um time de futebol redime a seleção, e perdoa a Ferrari do Neymar. Um time de futebol é uma criança aprendendo a escrever. Em 2017 eu vou ao Maracanã. Isso. Nada de exercício, Coca-Cola ou dentista. Nada de detox, vinis, Dostoiévski.

O Futebol.

Maria

2016

Monica Martelli, Instagram

Filme: *Uma linda mulher* (Garry Marshall)
Música: "Não vá embora" (Marisa Monte)

    A gente ficou amiga na primeira ponte aérea a caminho do *Saia*, sendo que a gente nunca tinha se visto e ela tem 1 metro a mais. Desde então, e isso já tem três anos, eu quase não acredito que tenho a sorte de ter essa grandona na vida, e às vezes só pra mim. Porque a Monica é tipo Rivotril com férias na Bahia, uma coisa quase curativa. @monicamartelli obrigada por tantas conversas e pela mão dada nas turbulências. Amo você.
2016

De Paolla.
Não, de você

Filme: *Concerto para piano n. 2* (Rachmaninoff)
Música: "I'll try anything once" (Strokes)

    Você pediu pra eu te avisar quando chegasse em casa. "Me diz se chegou bem", você falou, eu já na porta. "Dá notícia". Era sábado de madrugada e a gente tinha visto junto o agora devidamente oscarizado *Dunkirk*. Quer dizer, você já tinha visto, mas disse que via de novo pra me fazer companhia. E viu. Eu achei o filme incrível, mas dei uma sofrida com a morte do rapaz inglês de colete, o que te fez dar risada. Passo mal com filme de guerra. Passo mal com um monte de coisa. Você ainda não sabe disso, e talvez não vá saber. Não sabemos. Ou o contrário. Talvez você passe a saber e por isso mesmo se irrite, falando pra gente dar preferência a filmes mais leves, pelo menos nos finais de semana. Outra opção é você achar isso bonito, e apertar minha mão como quem não quer nada sempre que me vir chorando no cinema. Ou em qualquer outro lugar. Pessoas têm instruções complexas, têm que ser lidas devagar e com cuidado, tipo quando a gente configura o celular, mas segue tendo que atualizá-lo a cada 2 ou 3 semanas. Péssima comparação. Enfim.
    No meu último *update* entraram alguns amigos novos. Zuenir Ventura, com quem passei o dia mais bonito do ano,

primeiro num encontro pra falar de livros na casa dele e da mítica Mary, e depois na Garagem das Letras; Alejandro Zambra, com quem tenho passado os últimos cinco dias, por mais que ele não saiba disso, afinal, apenas, e apenas é pra ser lido com aspas, embora eu não as tenha utilizado, enfim, apenas escreveu o livro no qual estou mergulhada; as minas do meu curso de astrologia, 11 mulheres poderosas nessa busca linda e quase vã de se entender e entender a quem se ama – e não importa se a gente vai entender alguma coisa a mais ou não, porque o lance é a travessia, Guimarães Rosa falando aqui; e você. E você. Hashtag amo gente.

    Você não fica curioso pela vida dos outros? Eu conheço alguém e em um minuto fico louca querendo saber da infância, das músicas preferidas, do pai, da mãe e dos irmãos, do time de futebol, dos filhos, do que que a pessoa come – ou não come, pra não engordar –, e de como ela faz pra não ficar ansiosa e ser feliz. Flores, velas, chocolate, Racionais? Cigarro, Manuel Bandeira, Instagram? Álcool, cabelo limpo, planos de viagem? Gatos, lâmpada amarela, conhecimento, camisetas de banda, saber que a Malu Mader existe? Pra mim tudo isso funciona. Isso e também aqueles medicamentos maravilhosos que aqueles seres humanos maravilhosos maravilhosamente inventaram pra deixar toda a gente menos doída quando alguém vai embora pro Caju, pra outro país, ou pra outra pessoa. Às vezes é a gente mesmo quem vai. Embora. E dói igual. Obrigada, indústria farmacêutica, eu acho que eu gosto mesmo de você.

    No mais, eu sou ligada em travesseiro baixo, café da manhã, jornal físico e ar-condicionado. Também gosto de falar logo as coisas pra não ficarem maiores depois, e acho o comportamento espontâneo e livre da Jennifer Lawrence mais feminista do que os discursos prontos apresentados na cerimônia americana. Não gostei de *A forma da água*, mas amei *LadyBird*. Não sou muito de ver o sol nascer, mas pode me ligar a qualquer hora da noite. Tenho preguiça de festa grande, mas jantar fora é minha religião. Não sei cozinhar, mas posso aprender. Não conheço Pink Floyd, e tenho vergonha disso, mas posso te mostrar O Terno e o Vanguart. Tenho saudades antigas e saudades novas. Do meu pai e do meu padrasto. Do meu cachorro de Búzios e do barulho do Atari. De Macondo e de Lisboa. Das minhas amigas de adolescência.

Falando em amigas, e falando em Lisboa, foi lá que conheci a Paolla (que ainda não tinha entrado na história). Paolla foi amor à primeira, e só não somos mais próximas porque a vida é circunstância. Pois bem, há alguns dias essa moça teve sua nudez vazada na internet por um assistente de câmera da série *Assédio* que a achava gostosa. Sim, Paolla Oliveira. Sim, série *Assédio*. Sim, semana da mulher – o que quer que isso signifique (não quero parabéns!). Quero #meucorpominhasregras. Respeito. Sim, #Metoo. E também #Timesup. E também #Mexeucomumamexeucomtodas, e ainda #AgoraÉQueSaoElas, e também Danuza Leão, e Edivania, e minha mãe, e Paolla, e Jane Fonda, e Agnes Varda, e todas as mulheres que estão aqui. Millôr Fernandes, mais conhecido como A Bíblia (é uma piada, ou quase) dizia uma frase que nunca perde a utilidade: "Desconfio de todo idealista que lucra com seu ideal". Ando com medo de gente legal apontando o dedo pra gente legal. Vamos deixar a Danubia cumprir prisão domiciliar? E também a Adriana Ancelmo? Vamos ser solidárias de forma mais grave e menos ostensiva? Essa semana encontrei uma amiga e reclamei de outra, que sumiu sem dar explicação e era uma pessoa pra sempre. Sabe o que ela disse?

"Perdoa, Maria. Mesmo que ela não mereça." Existe causa melhor?

Mas não era disso que eu tava falando, e sim, da Paolla. Garota nacional e atriz com tudo maiúsculo. Que foi desrespeitada, como tantas mulheres seguem sendo.

Não, também não era disso.

Era de você. De você ter dito pra eu te avisar quando chegasse em casa.

Então. Eu cheguei. E você veio comigo.

2018

Pedro Henrique

Filme: *O começo da vida* (Estela Renner)
Música: "Um bom lugar" (Sabotage)

Conheci Pedro Henrique quando ele tinha três anos. Sua mãe, a manicure Edivania, o levava às vezes pro "serviço", como ela dizia, se referindo ao atendimento na casa das clientes, não sem antes perguntar, se "tudo bem eu levar meu filho pequeno?". O menino era uma graça. Ficava quase sempre quieto – não sei se por timidez ou subserviência – e parecia feliz. Era feliz, eu pensava, olhando suas roupas sempre curtas. Era feliz, eu dizia, olhando mais pra mim do que pra ele. Esse menino não dá trabalho nenhum, falava a mãe, orgulhosa, vendo o rebento fazer carinho na minha cachorra Miranda, por quem o garoto era apaixonado. Nossa marca foi a mesma durante muito tempo: eu oferecia um biscoito de chocolate – que hoje seria considerado uma bomba de gordura hidrogenada – e perguntava: quantas "pis" o Kike trouxe hoje? As "pis", como ele chamava suas chupetas – nunca era uma só – ficavam ou dentro dos bolsos da calça ou numa mochilinha do Pokémon que ele não tirava das costas por nada, talvez exatamente por isso.

Eu sentia um prazer com aquela visita que não era visita – e aqui é mesmo sem vírgula – que só com o passar do tempo fui identificando como uma certa expiação social. Edvania não era apenas minha manicure. Edvania era minha amiga. Eu sabia dos seus problemas, dava conselhos, ouvia suas histórias. Em dezessete anos de pés e mãos pintados quase sempre com o vermelho "garota verão", ou com o rosa apagado "marítima", fiquei sabendo de como sua tia morreu de tuberculose em 2 meses, de como seu marido foi assassinado na frente do pequeno Pedro Henrique – então com 7 anos – e de como sua filha mais velha ficou grávida aos 15 anos depois de um relacionamento abusivo com um dos traficantes da favela em que morava, e que ainda mora.

Nessas conversas, e quase sinto vontade de usar aspas na palavra "conversas", eu praticamente não falava. O pacto era silencioso e ao mesmo tempo claríssimo: eu ouviria suas dúvidas e verdades e sairia daquele encontro me sentindo perto de um Rio de Janeiro que nunca fez parte da minha vida. Era uma relação que me fazia bem justamente pelo contraste, que supostamente me tiraria de uma bolha, à qual eu voltaria um segundo depois de ela ir embora. Como de fato voltava.

Há um ano, Edivania me ligou pedindo ajuda. Seu filho, agora um homem com 18 anos recém-completados, havia sido preso. Pedro Henrique tinha roubado um celular na Mena Barreto com a Voluntários da Pátria, e foi pego e detido em flagrante. Sem saber como ajudar, indiquei e me ofereci pra pagar um advogado, o que ela recusou. Meu filho não é bandido, Maria. Meu filho não é bandido, e desligou, já no ônibus pra Bangu, mesmo presídio onde agora se encontram Sérgio Cabral Filho, Anthony e Rosinha Garotinho, todos ex-governadores da nossa tão maltratada Guanabara, todos com muito mais chance do que o filho da minha manicure. "Meu filho não é bandido", eu fiquei repetindo sozinha.

Eu sabia que não. Em todas as vezes que estivemos juntos, nunca por mais de 1 hora – e ao mesmo tempo por uma vida inteira –, eu conseguia saber exatamente quem era aquele menino, que era apaixonado por carrinhos Hot Weels, louco por cachorros, e que andava sempre com 2 chupetas na mochila pro caso de uma se perder.

Pedro Henrique ficou preso oito dias, e até semana passada aguardava em casa o resultado do julgamento. Nesse tempo – pouco mais de um ano – foi pai dos gêmeos Jorge e Ângelo, e procurou desesperadamente um emprego de carteira assinada, o que, naturalmente, não conseguiu. Com a ficha suja pelo episódio do celular, e tendo parado de estudar no sexto ano, o agora adulto Kike se virava como motorista de moto-táxi na própria comunidade, e gastava os domingos ajudando nos cultos da Igreja à qual é "filiado", como ele mesmo diz, onde, é claro, pedia por sua absolvição.

No ultimo dia 23, saiu a sentença. Pedro Henrique foi condenado a oito anos e dezessete dias de reclusão em regime fechado, com trinta dias pra se apresentar na mesma Bangu dos nossos ex-excelentíssimos gestores. Edivania não se surpreendeu, e, se me ligou, foi só pra perguntar se eu não conhecia alguém que estivesse precisando dos serviços de um pintor.

Pedro Henrique foi condenado, Maria, e, como decidimos que ele não vai se entregar, porque ninguém sai da cadeia melhor, não dá mais pra ficar dando pinta como motorista de moto-táxi.

Olhei pros meus filhos e desejei pintar todas as casas de todas as pessoas que eu conheço. Olhei pros meus filhos e pensei que país é esse, onde, diante de um protesto dentro do túnel que liga a zona Sul à zona Oeste, como o do último sábado, a única preocupação da população é com o trânsito?

"Meu filho não é bandido", eu repetia baixinho enquanto pensava no que fazer, pra depois não conseguir fazer nada.

Escrevendo esse texto no sofá da sala da minha casa e vendo meu filho mais velho com o iPhone nas mãos, contei pra ele dos últimos acontecimentos envolvendo Edivania e Kike, e aproveitei também pra falar de *O dono do morro*, livro sensacional do jornalista inglês Micha Glenny sobre a trajetória de Antônio Bonfim Lopes, o Nem, cujas últimas páginas me levaram às lágrimas.

Nem entrou no tráfico porque não tinha dinheiro pra pagar o tratamento de saúde de sua filha, que aos 9 meses passou por uma verdadeira maratona até ser diagnosticada com uma doença rara. Nem, aos 12 anos, era boleiro de uma quadra de tênis em São Conrado, onde pegava bolas para garotos da sua idade, que no entanto nunca olharam pra ele. Nem foi preso e é considerado um bandido de verdade, o que quer que isso signifique. Pedro Henrique, foragido e desde ontem pintando a casa da minha prima em Búzios, dependendo do ponto de vista, também pode ser.

2018

Lista de músicas

"Afterlife", Will Butler, Win Butler, Régine Chassagne, Jeremy Gara, Tim Kingsbury, Richard Reed Parry; Merge, 2013.
"Alegre menina", Dori Caymmi, Jorge Amado; Som Livre, 2001.
"Amigos bons", Junio Barreto, Otto, Bactéria; Tratore, 2004
"A nave vai", Jorge Du Peixe; Som Livre, 2016.
"A palo seco", Belchior; Continental, 1974
"Aquarela", Vinicius de Moraes, Toquinho; Ariola, 1983
"Aquela janela virada p'ro mar; Frederico de Brito; Ocarina, 2004
"Aquele abraço", Gilberto Gil; Philips, 1969
"As curvas da estrada de Santos", Eramos Carlos, Roberto Carlos; CBS, 1969.
"As minhas meninas", Chico Buarque; Ariola/RCA, 1987
"As pedras da minha rua", Eduardo Damas, Manuel Paião; MP,B Discos/Universal Music, 2012
"Aula de francês", Tiê Gasparinetti Biral, Flavio Mormillo Juliano, Nathalia Catharina Alves Olveira; Warner Music, 2009
"Bachianas brasileiras n °5, Heitor Villa-Lobos — ária (cantilena) composta em 1938 sobre texto de Ruth Valadares Corrêa; dança (martelo) composta em 1945 sobre texto de Manuel Bandeira
"Beat acelerado", Alec, Vicente França, Yann; Epic, 1984.
"Beatriz", Edu Lobo, Chico Buarque; Velas, 1983.
"Beija-flor", Xexéu, Zé Raimundo; Polygram/Philips, 1993.

"Bete Balanço", Cazuza, Roberto Frejat; WEA, 1984.
"Bette Davis Eyes", Jackie DeShannon, Donna Weiss; Culture Factory, 1981
"Blackbird", John Lennon, Paul McCartney; Apple Records; 1968
"Canção da América; Fernando Brant, Milton Nascimento; A&M Records/Polygram, 1979
"Cheek to Cheek", Irving Berlin; composta em 1935 para o filme Top Hat, várias gravações.
"Chega de saudade", Tom Jobim, Vinicius de Moraes; Odeon, 1959.
"Come as You Are", Kurt Cobain, Dave Grohl, Krist Novoselic; DGC/Geffen, 1991
"Comida", Arnaldo Antunes, Marcelo Fromer, Sérgio Brito; WEA, 1987.
"Coming up Roses", Danielle Brisebois, Glen Hansard; 222 Records/Alxndr/Interscope/Polydor; 2014
"Conversa de botas batidas", Marcelo Camelo; BMG, 2003.
"Dança da solidão", Paulinho da Viola; EMI, 1972.
"Deusa do amor", Adailton Poesia, Valter Farias; Continental, 1992
"Diariamente", Nando Reis; EMI-Odeon, 1991.
"Dois", Tiê Gasparinetti Biral, Thiago Fidanza Correa da Silva; Warner Music, 2009
"Drume negrita", Ernesto Grenet; RCA Victor, [195-].
"Errare Humanum Est", Jorge Ben Jor; Abril Cultural, 1982.
"Et Pourtant", Charles Aznavour, Georges Garvarentz; EMI Music Distribution, 1963
"Eu também quero beijar", Fausto Nilo, Moraes Moreira, Pepeu Gomes; EMI-Odeon, 1983.
"Exagerado", Ezequiel Neves, Cazuza, Leoni; Som Livre, 1985
"Formation", Khalif Brown, Asheton Hogan, Beyoncé Knowles, Michael Williams; Columbia, 2016.
"Gandaia", Karol Conka, Nave Beats; Deck Disc, 2013

"Garota de Berlim", Rodrigo Andrade; Abril Music, 2001.
"Garota de Ipanema", Vinicius de Moraes, Tom Jobim; EMI-Odeon, 1963
"Girls Just Want to Have Fun", Robert Hazard; Portrait/Sony Music Distribution, 1983
"Hey Jude", John Lennon, Paul McCartney; Apple, 1968.
"I Follow Rivers", Rick Nowels, Björn Yttling, Lykke Li; Atlantic, 2011
"I try", Macy Gray, Jinsoo Lim, Jeremy Ruzumna, David Wilder; Epic, 1999
"I Will Survive", Dino Fekaris, Freddie Perren; Polydor, 1977.
"I'll Try Anything Once", Julian Casablancas; Rough Trade, 2006
"Injuriado", Chico Buarque; BMG, 1998.
"It's My Party", Cy Crane, Wally Gold, John Gluck Jr., Herbert Wiener; Mercury Records/Universal, 1963.
"Lamento sertanejo; Gilberto Gil, Dominguinhos; Tropicana/CBS, 1973
"Le Temps de L'Amour", Jacques Dutronc, Lucien Morisse, Salvet; Future Days, 1962.
"Luiza," Tom Jobim"; Polygram/Philips, 1981
"Maria da Vila Matilde", Douglas Germano; produção independente, 2015.
"Maria de verdade", Carlinhos Brown; EMI-Odeon, 1994
"Me faz acreditar", Don L; independente, 2013
"Me sinto ótima", Mallu Magalhães; Sony Music, 2014.
"Menino do Rio", Caetano Veloso; Polygram/Philips, 1979.
"Meu esquema", Fred Zero Quatro; Abril Music, 2000.
"Minha namorada", Vinicius de Moraes, Carlos Lyra; Elenco, 1965.
"Modern Love", David Bowie, Virgin; 1983
"Mr. Brightside", Brandon Flowers, David Keuning, Mark Stoermer; Island/Polydor; 2004
"Mulher de fases", Rodolfo Abrantes, Digão; Warner Music Brasil, 1999 .

"Mulher do fim do mundo"; Alice Coutinho, Romulo Fróes; produção independente, 2015.
"Musa híbrida", Caetano Veloso; Universal Music, 2006
"My Way", Paul Anka, Claude François, Jacques Revaux, Gilles Thibault; Reprise, 1969 .
"Não existe amor em SP", Criolo (Kleber Cavalcante Gomes); independente, 2011
"Não me arrependo", Caetano Veloso; Universal Music, 2006.
"Não vá embora", Marisa Monte, Arnaldo Antunes; EMI Brasil, Phonomotor Records/EMI, 2000
"Navegador", Mallu Magalhães; Sony Music, 2017
"Negro drama", Racionais MC's; Cosa Nostra Fonográfica/Zambia, 2002
"Noite dos mascarados", Chico Buarque; RGE/Som Livre, 1967
"O caderno", Mutinho, Toquinho; BMG, 1999.
"O eterno Deus Mu Dança", Gilberto Gil, Celso Fonseca; WEA, 1989.
"O meu guri", Chico Buarque; Ariola/Philips, 1981.
"O pulso", Marcelo Fromer, Arnaldo Antunes, Toni Bellotto; WEA, 1989
"O vento", Rodrigo Amarante; Sony/BMG, 2005.
"Oração ao tempo", Caetano Veloso; Polygram/Philips, 1979.
"Pais e filhos", Renato Russo, Marcelo Bonfá, Dado Villa-Lobos; EMI, 1989
"Passageiro", Rodrigo Maranhão; MP,B Discos/Universal Music, 2010
"Passarim", Antonio Carlos Jobim; Som Livre, 1985.
"Pobre paulista", Edgard Scandurra; Warner Music, 1986
"Por enquanto", Renato Russo; Polygram/Philips, 1990.
"Recado", Rodrigo Maranhão; WEA Music, 2005.
"Ronda, Paulo Vanzolini; RCA Victor, 1953.
"Saiba", Arnaldo Antunes; BMG, 2004.
"Samba da benção", Vinicius de Moraes, Baden Powell; Elenco, 1967

"Show das poderosas", Anitta; Warner Music, 2013
"Sina", Djavan; CBS/Sony Music, 1982.
"Some Girls Are Bigger Than Others", Johnny Marr, Steven Morrissey; Sire, 1986.
"Something to Remember", Patrick Leonard, Madonna; Warner Bros., 1995
"Something", George Harrison; Apple, 1969.
"Super mulher", Jorge Mautner; Polydor/Universal Music, 1973
"Super mulher", Jorge Mautner; Polydor/Universal Music, 1972.
"That's Life", Kelly Gordon, Dean Kay; Signature Sinatra/Universal, 1966
"These Days", Jackson Browne; Polydor, 1967
"Tigresa", Caetano Veloso; Polygram/Philips, 1977.
"Total Eclipse of the Heart", Jim Steinman; Rhino, 1983
"Tropicana", Alceu Valença, Vicente Barreto; Polydor/Polygram/Philips, 1982.
"Tuyo", Rodrigo Amarante; Gaumont Télévision, 2015.
"Um bom lugar", Sabotage; Cosa Nostra, 2000
"Um certo alguém", Ronaldo Bastos, Lulu Santos; WEA, 1983
"Vagabunda", Clarice Falcão; Chevalier De Pas, 2016
"Velha e louca", Mallu Magalhães; Sony Music, 2011.
"Vermelho", Marcelo Camelo; Universal Music, 2011.
"Whisky a Go-Go", Michael Sullivan, Paulo Massadas; RCA, 1984.
"Vai maladra", Anitta, Dj Yuri Martins, Maejor Ali, MC Zaac, Tropkillaz; Warner Music, 2017

GREGÓRIO DUVIVIER FREUD FERNANDA LIMA PAULA LAVIGNE JOÃO SALLES ANDREW PAULO JOSÉ PADILHA FÁTIMA BERNARDES XICO SÁ AMORA CAMILA PITANGA FERNANDA TORRES CARMEM VERÔNICA E RENATA SORRAH PRA MIM MESMA AOS 18 CARTA PARA X. JOÃO, CATORZE FABIO ASSUNÇÃO DOMINGOS OLIVEIRA BONECA RUSSA BENTO WINONA RYDER EU NÃO QUERO PARABÉNS CAIO ANA NEYMAR E BRUNA CINEIDE MACABÉA, DARIN, MAGNANI E MALU MADER MALLU MAGALHÃES PRA MIM MESMA AOS 28 MIGUEL DE ALMEIDA BÁRBARA PAZ FELIPE HIRSCH DÉBORA BLOCH E MARIANA LIMA MATHEUS, SOPHIE E ALICE MÃE TIAGO TONY RAMOS RAFAELA SILVA ALL STAR AZUL MARIA MARIANA SUPEREGO JOÃO DORIA PARA MARILU RIO VERMELHO MADONNA LA LA LAND ELIANE GIARDINI RAQUEL DO WAZE PARA EDU CARTA AO EDITOR LAÍS BODANZKY JOYCE COM Y E BELCHIOR FLORA E GIL PARA B. STEVE JOBS F CLEO PIRES CHICO BUARQUE BARBARA GANCIA MARIA FLOR TATI BERNARDI SILVIO SANTOS E ZÉ CELSO JOÃO OSVALDO PLACA RFT6540 JORGE BASTOS MORENO TOM JOBIM LULA GONÇALO M. TAVARES MONICA TENENBAUM ALEXANDRE NERO CACO CIOCLER LEONÍDIO ISABEL GUÉRON FERNANDA NOBRE MARTHA NOWILL VANESSA CARDOSO ANDRÉIA HORTA LEOPOLDO PACHECO RICARDO PEREIRA PAULA GICOVATE SELTON MELLO WASHINGTON OLIVETTO E NELSON RODRIGUES SÉRGIO VAZ CHAPECOENSE MONICA MARTELLI DE PAOLLA. NÃO, DE VOCÊ. PEDRO HENRIQUE

Agradecimentos

Fátima Sá, Ana Cordeiro, Rita Wainer e Vanessa Cardoso.

**Acreditamos
nos livros**

Este livro foi composto em Fairfield LT Std
e impresso pela Gráfica Santa Marta para a
Editora Planeta do Brasil em agosto de 2022.